LA PATRULLA FANTASMA

LA PATRULLA FANTASMA

CLARIBEL A. ORTEGA

SCHOLASTIC INC.

Originally published in English as *Ghost Squad*

ISBN 978-1-338-66799-8

10 9 8 7 6 5 4 3 2 1 20 21 22 23 24

Printed in the U.S.A. 40

First Scholastic Spanish printing, 2020

Book design by Christopher Stengel

A mis padres, Anazaria y Pablo Ortega: Gracias por la herencia del cabello tan rizado.
Y a mi hermano, Pablo Jr.: Gracias por darme el regalo de las luciérnagas.

LA PATRULLA FANTASMA

CAPÍTULO UNO

CAYÓ UN RELÁMPAGO y una luz blanca iluminó el cielo nocturno en la ventana del dormitorio de Lucely Luna.

Habían pasado cuatro horas desde que se acostara, pero los truenos de la tormenta la mantenían despierta.

Probó todos los trucos de su abuela, incluyendo respirar lenta y profundamente, concentrándose a la vez en el resplandor cálido de las luciérnagas que entraba por la ventana de su dormitorio, pero ninguno funcionó.

Se abrazó las rodillas, apretándoselas contra el pecho, y miró por la ventana. Contó los segundos entre la luz del relámpago y el estruendo del trueno, rezando por que el primero ocurriese lejos y no cayera sobre su casa.

—Uno, dos, tres…

¡PUM!

Se cubrió la cabeza con la manta, soltando un chillido.

—Niña —susurró una voz.

Lucely corrió la manta solo lo justo para destaparse los ojos. El suave resplandor de uno de los miembros de su familia de luciérnagas llenó el cuarto.

—¿Mamá? —preguntó.

Como agua que brilla bajo los rayos de sol, la luciérnaga se transformó ante ella. La forma translúcida se agitó antes de volverse del todo sólida.

Mamá Teresa, la abuela de Lucely —o más bien el fantasma de aquella—, se sentó en la cama a su lado.

—¿Qué te pasa, mi niña? —preguntó Mamá, extendiendo la mano para agarrar la de Lucely.

La mano se sentía suave y cálida, igual que cuando la mujer estaba viva. Su voz siempre reconfortaba a Lucely como las medias peluditas y el chocolate caliente dominicano.

—Estoy asustada —susurró.

Mamá le apartó los rizos de los ojos, la besó en la frente y empezó a cantar bajito, con un acento fuerte pero claro, como el sonido de la lluvia sobre un tejado de metal.

—Duérmase, mi niña,
duérmase, mi amor,
duérmase, pedazo de mi corazón...

La voz de la abuela envolvió a Lucely como una manta de lana, y antes de que la canción terminara, la niña se había dejado llevar hacia un lugar tranquilo y seguro, muy lejos de la tormenta.

A la mañana siguiente, Lucely se despertó con el olor del queso blanco frito que llegaba de la cocina, en el piso de abajo. Todavía era temprano y el sol empezaba a inundar el cielo con tonos cálidos de naranja y amarillo, como borrando la oscura y tormentosa noche anterior.

Fijó la vista en el techo de su cuarto, que estaba cubierto de cientos de estrellas. Por el día parecían una gran masa de pegatinas de color beige sobre un fondo blanco en el que no se distinguía nada, pero cuando caía la noche y las luces estaban apagadas, una intrincada galaxia de constelaciones se extendía hacia cada rincón del cuarto. Era como tener un pequeño universo para ella sola.

El padre de Lucely, Simón, la ayudó a pintar su cuarto de un verde azul claro, el mismo color de la casa de su abuela en la República Dominicana. Encima de su escritorio, la niña había colgado una pizarra de corcho con todos los diplomas de la escuela, un calendario en el que meticulosamente anotaba sus deberes escolares y un folleto de Excursiones Luna Fantasma, el negocio de la familia. Junto a la pizarra tenía un afiche lleno de artistas *hip-hop* y un retrato de Enriquillo, el taíno rebelde.

Simón Luna era lo que Lucely llamaba un "gran chiflado por la historia". Había fundado su propia empresa de excursiones fantasmas en la ciudad, y la gente *pagaba* por escucharlo contar la historia de San Agustín, Florida. Había insistido en poner retratos de sus personajes célebres favoritos en cada habitación de la casa, y a su hija le encasquetó el de Enriquillo. Este retrato no era el que más le desagradaba a la niña, pero ella habría preferido el de las hermanas Mirabal que estaba en la sala. Al menos no era el de Barbanegra. Ese tipo *sí* daba miedo.

Aunque era temprano, Lucely ya escuchaba ruidos en el piso de abajo. Al principio pensó que era su papá trajinando en la cocina, pero al aumentar el ruido se dio cuenta de que era —*oh, no*— merengue.

Trató de taparse la cabeza con la manta, pero una mano invisible se lo impidió y lanzó la manta al otro lado del cuarto.

—Qué linda —dijo Tía Milagros con sarcasmo al examinar el cuarto de Lucely.

La tía llevaba los mismos rulos, la máscara facial, el camisón y las pantuflas con los que había muerto. Todos creen que morirse durmiendo es la forma más pacífica de hacerlo, pero nadie tiene en cuenta que la persona se quedará en pijamas para el resto de su vida en el más allá.

—Arriba, arriba, es hora de limpiar. ¡Esta casa está sucia! ¡Mira esto! —dijo, señalando el montoncito que había cerca del cesto de la ropa sucia de Lucely y un envoltorio de chicle en la papelera.

—No, tía, hoy es sábado. ¿No se cansan los muertos?

—Nadie se cansa tanto como tú, sinvergüenza. ¡Pensar que eres tan joven y tienes tan poca energía! A tu edad ya yo estaría despierta desde hace tres horas. Dobla esa manta. —Tía Milagros señaló la manta que había lanzado y salió del cuarto.

Lucely resopló y se puso las chanclas antes de bajar. Ayudaría a limpiar después del desayuno. Si fuera por Tía

Milagros, estaría limpiando desde la mañana hasta la noche.

Sobre la larga mesa de la cocina había platos con panqueques de banana, calentitos y esponjosos. Había también beicon crujiente, queso frito, salchichón y cuencos de frutas, junto a jarras de jugo recién exprimido y de morir soñando. La familia Luna estaba sentada alrededor de la mesa, conversando en voz muy alta y exaltada. Bueno... la mayoría conversaba; Simón aún estaba haciendo panqueques en la sartén con una mano y poniendo rectángulos de queso en harina con la otra.

—Buenos días —le dijo a la niña, sonriendo.

—Bendición, papi.

Lucely se sentó a la mesa y empezó saludar a cada uno de sus primos y a pedir la bendición a cada uno de sus parientes mayores antes de empezar a comer.

La alegraba saber que incluso después de morir uno podía comer cosas sabrosas, aunque solo si se fue buena persona en vida. Si ella no lo hubiera visto con sus propios ojos, habría pensado que era una forma morbosa de decirle que se portara bien, pero para los Luna era una realidad palpable.

Si alguien miraba por la ventana, solo vería a Lucely y

a su padre, los únicos dos seres vivos en el hogar de los Luna. Sin embargo, había más personas allí… solo que eran fantasmas.

—Lucely está acaparando todo el queso de nuevo —se quejó la prima Macarena, y le hizo un guiño a la niña antes de apilar un montón de queso en su propio plato.

Macarena había tenido que aguantar toda la vida que le preguntaran si de verdad sabía bailar la macarena, no obstante le encantaba provocar a su prima cada vez que tenía oportunidad.

Las cinco tías le lanzaron miradas asesinas. Tía Milagros buscó la chancla bajo la mesa. Lucely abrió la boca para protestar cuando su padre puso otra loma de queso frito en la mesa.

—¿Suficiente para todos? —le preguntó a su hija, y esta asintió.

Simón sonrió, pero Lucely pudo ver la expresión de dolor en la cara de su padre.

Hubo un tiempo en que él también podía ver los espíritus en sus formas humanas, pero ahora no veía más que luciérnagas. "A veces, cuando uno tiene el corazón muy apesadumbrado y triste —le había explicado—, se pierde esa conexión". A Lucely la entristecía imaginar el sufrimiento de su padre desde que su madre los dejara, hacía cuatro años.

Para la mayoría de la gente, que los espíritus de los seres queridos fallecidos vivieran como luciérnagas —o cocuyos, como les decían en la República Dominicana, de donde procedía la familia de Lucely— era un mito, una historia que contaba la gente para aliviar el dolor de la pérdida. Sin embargo, para Lucely era real. Cuando aquellos no aparecían con sus figuras humanas, chismeando sobre los vecinos o pendientes de ella, sus espíritus habitaban el viejo sauce del jardín en forma de luciérnagas.

—Ta' muy grande, Lucely —dijo Tío Chicho, intentando pellizcarle las mejillas a la niña, pero ella se agachó para evadir la dolorosa caricia de Tío Pellizca-Cachete.

Desafortunadamente para Lucely, su tío también era rápido y logró agarrarle la cara.

—¡Ayyy!

Lucely se frotó la mejilla mientras Tía Tati, la esposa de Tío Chicho, le daba a este un golpe suave en la mano y le fruncía el ceño.

—Empezaremos por los baños de abajo y después pasaremos al recibidor —anunció Tía Milagros, y obtuvo un coro de lamentos por respuesta.

—Tía, ¿no podemos tener un fin de semana libre? —preguntó Manny, otro de los primos.

—No tiene remedio; limpiar es lo que más le gusta en la vida —dijo otro primo, Benny.

—¡Pero si está *muerta*! —exclamó Lucely.

La mesa estalló en risas que ahogaron las amenazas de Tía Milagros, quien lanzó una chancla que voló por toda la cocina y tumbó una jarra de jugo de guayaba.

—¡No ve! —sonrió Milagros, petulante, como si no hubiera sido ella la que armó el caos.

—¿Tía Milagros? —preguntó Simón.

—Sí —asintió Lucely, enjugándose las lágrimas.

—Dejé los utensilios de limpieza arriba. ¿Los puedes traer? —le preguntó Simón a su hija.

—Claro. Con permiso.

Mientras hurgaba en el armario buscando el detergente que Tía Milagros insistía en que usaran solo para las baldosas, sonó el timbre de la puerta.

¿Quién podría ser ahora? Los únicos que los visitaban eran Syd, su mejor amiga, y su familia, pero nunca se molestarían en tocar el timbre. Más veces de la cuenta, había encontrado a Babette, la abuela de Syd, dormida en el sofá frente al televisor.

Lucely escuchó una voz grave que provenía de abajo, pero no podía entender lo que decía. Se deslizó por el pasillo, haciendo todo lo posible por evitar las tablas crujientes del piso, y se agachó en el descanso para mirar por la barandilla. El fuerte olor a detergente de limón le irritó la nariz.

Desde allí arriba, pudo ver que se trataba de un hombre del banco.

—Estoy decepcionado, Sr. Luna —dijo el hombre.

—Le prometo que lo tendremos pronto, Sr. Vincent. Necesito un poco más de tiempo.

Lucely sintió una punzada al percibir el tono de súplica en la voz de su padre. Le recordaba tanto las conversaciones telefónicas que este había tenido con su madre, y cuánto él le había rogado que regresara a casa, aunque la respuesta era siempre la misma: no.

—Me temo que lo más que puedo hacer por usted es darle hasta finales de octubre. ¿Quizás por Halloween vengan más turistas?

El Sr. Vincent se quitó una pelusa de su impecable chaqueta, y a Lucely le ardieron las mejillas de rabia. Lo único que le interesaba a la gente como él era el dinero. Se daba cuenta por la forma en que el hombre miraba a su padre.

Se notaba que en silencio evaluaba sus zapatos viejos, sus *jeans* desteñidos y el corte de pelo de diez dólares. Era la misma mirada con que la miraban los otros niños en su escuela.

Simón se rascó la cabeza, notablemente nervioso.

—Gracias. Estoy seguro de que lo arreglaremos.

—En verdad aprecio la puntualidad con la que siempre ha pagado sus cuentas, pero me temo que, con el mercado en alza, mi única alternativa será embargar la casa.

La presión que sentía Lucely en el estómago se hizo más intensa, y tuvo que esforzarse para poder respirar. No podían perder la casa. Era el único hogar que había conocido. Aquí la habían traído sus padres cuando nació, y era el lugar donde su padre se había criado y donde antes habían vivido sus abuelos. A esta casa estaba vinculado cada recuerdo de su madre, y su familia de espíritus estaba anclada al sauce del jardín. Si se iban, ¿qué pasaría con esos espíritus? Se le aguaron los ojos y se enjugó las lágrimas.

Su padre parecía estar un poco más erguido ahora.

—Y yo esperaría que los años de pagos puntuales fueran suficientes para darnos un pequeño respiro ahora, especialmente con todas las reparaciones que hemos hecho en la casa después del último huracán. No obstante, supongo que así no es como su banco hace los negocios —dijo con voz firme.

Lucely sonrió. "Dile, papá".

El Sr. Vincent pareció confundido y asintió bruscamente.

—Hasta principios del mes que viene. Regresaré entonces. Ah, y me gustaría mucho ver su excursión en persona, Sr. Luna. Quizás una actuación emocionante pueda ayudarme a convencer al banco para darle un poco más de tiempo.

Tan pronto como la puerta se cerró, a Simón se le aflojaron los hombros y soltó un suspiro exasperado. A Lucely se le estrujó el corazón. Hubiera querido correr escaleras abajo y abrazar a su padre y decirle que todo estaría bien. Por la forma en que este se llevaba las manos a la cabeza, sin embargo, dudó que algo que ella pudiera decir mejorara las cosas.

—Si estás espiando allá arriba, será mejor que bajes.

Lucely se encogió y dio un paso atrás. ¿Cómo se las arreglaba siempre para saberlo?

Esperó un minuto, respiró hondo para calmarse y bajó la escalera con naturalidad. El padre levantó una ceja, pero ella simuló no haber escuchado nada de la conversación. A él le gustaba aparentar que todo estaba bajo control, y a ella le gustaba dejar que lo creyera.

"Actúa natural, actúa natural, actúa natural", se repitió en silencio. Simón Luna era un experto en descubrir cualquier simulación.

—¿Cuánto escuchaste?

—¿Eh? Estaba buscando los utensilios de limpieza cuando me llamaste —dijo Lucely.

Cruzó los dedos a su espalda, tratando de evitar que el miedo por lo que acababa de escuchar —que podrían perder la casa— se reflejara en su rostro.

El padre la inspeccionó de cerca, con una ceja aún arqueada. Era como si pudiera mirar hasta el fondo de su alma. La niña se sintió incómoda y esperó que su papá cambiara el tema. El hombre soltó otro suspiro exasperado.

—Era el Sr. Vincent, del banco. Solo pasó para averiguar cómo van las excursiones del negocio —dijo, y Lucely se avergonzó por la mentira de su padre—. Puede que venga a la de esta noche, así que tenemos que asegurarnos de que todo salga bien.

Le puso a su hija una mano sobre el hombro y se lo apretó suavemente.

—Voy a limpiar la cocina antes de que a Tía Milagros le dé un ataque. Es increíble que puedan dejar semejante reguero. —Se echó a reír.

En cuanto su papá se fue, Lucely se encerró en el bañito del primer piso. Intentó calmarse y comprender lo que el Sr. Vincent había dicho. ¿Solo les quedaba hasta el fin de mes? ¡Eso era en menos de dos semanas! ¿Cuánto dinero debían? Sabía que habían tenido problemas con el banco antes, pero desde que la nueva empresa de excursiones Recorrido Fantasma por Tumbas Increíbles llegó a la ciudad, habían comenzado a acumularse los sobres rojos y los avisos urgentes. ¿Adónde se irían si perdían la casa?

Dejó correr el agua y se mojó la cara.

Cuando abrió los ojos nuevamente, su prima Macarena estaba sentada en el borde del lavamanos.

Lucely soltó un chillido, frunció el ceño y le arrojó la toalla.

—¡Te he dicho que no hagas más eso!

Macarena se rio tanto que casi se cae al piso. A pesar de haber muerto antes de que Lucely naciera, era como una hermana mayor para ella. En unos años, sin embargo, sería *su* hermana menor.

—Te ves pálida. Dice Mamá que necesitas comer mejor

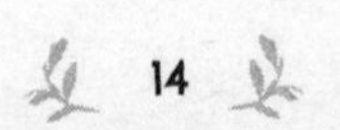

—le dijo Macarena con dulzura—. Tía vio como te metías corriendo aquí y regresó a contárselo a todos. Tú sabes cómo es eso; están preocupados.

—¿Preocupados? ¿Por mí? —dijo Lucely, arqueando una ceja.

—No por ti. Es decir, siempre están preocupados por ti, prima. Pero algo en el ambiente huele... mal. —Macarena miró hacia arriba como si pudiera atravesar el techo con la vista—. Y hay una... energía rara. Solo puedo describirlo así. Una energía muy extraña.

Lucely pensó en las tormentas de la semana anterior, que la habían puesto tan nerviosa en las noches, y se dio cuenta de que Macarena tenía razón.

—¿Los demás también la sienten? —preguntó.

Macarena asintió y se bajó del lavamanos.

—Sobre todo Mamá. No ha estado sintiéndose muy bien, pero no le digas a nadie que te lo conté.

Un golpe en la puerta las sobresaltó a las dos.

—¿Te caíste del inodoro, Luce? —preguntó Simón.

Macarena se esfumó al instante por la ventana rota.

Lucely abrió la puerta.

—Sí —dijo—. También bebí mucho jugo de guayaba en el desayuno.

Le sonrió a su papá con picardía, tratando de ocultar la preocupación.

Regresó a la cocina y se sentó junto a su familia de espíritus. Su padre había limpiado el jugo de guayaba derramado y todos se estaban sirviendo por segunda o tercera vez. Lucely siguió fingiendo estar bien, como si no estuviera asustada por lo que había escuchado, por el bien de su papá, pero también para que su familia no la interrogara. Sin embargo, cuando miró a Mamá Teresa, sentada del otro lado de la mesa, vio algo que no había notado antes.

Casi deja escapar un suspiro al ver que la forma humana de Mamá parpadeaba ligeramente, como una vela a punto de apagarse.

—¿Mamá? —preguntó Lucely con cautela.

Mamá Teresa era la persona más fuerte que ella había conocido, y nunca había visto que a su espíritu le pasara algo así.

La abuela alzó la vista del cuenco de frutas.

—No pasa nada, mi niña —dijo Mamá, sonriendo—. Todo está bien.

CAPÍTULO DOS

—¿CUÁNDO TENDRÉ MANCHAS como las tuyas en las manos?

Lucely pellizcó suavemente la mano de su abuela; la piel, fina como un papel, volvió a su lugar lentamente. Las huellas de la tormenta de la noche anterior se habían borrado y Mamá Teresa parecía la misma de antes: no más parpadeos.

—Cuando seas vieja como yo y tengas arrugas hasta en las nalgas.

Ambas soltaron una carcajada nerviosa, con las cabezas muy juntas, sentadas en el portal. Simón apareció corriendo por la esquina. Mamá Teresa sonrió y se evaporó como el humito de la leche caliente que solía prepararle a su nieta para que se durmiera, y en su lugar quedó una luciérnaga bailoteando alrededor de la cabeza de Lucely. La niña imaginó qué pensarían si la vieran sola en el portal, hablando y riendo con una luciérnaga, pero estaba acostumbrada a ser la niña rara.

—¿Era Mamá? —preguntó Simón con tristeza.

Lucely asintió.

—El grupo de la excursión ya está en el cementerio haciendo fotos de la vieja iglesia. ¿Recuerdas nuestro plan?

Le encantaba ayudar a su papá en Excursiones Luna Fantasma los fines de semana porque le tocaba hacer de fantasma, y esperaba ese momento con ansias.

—Me esconderé detrás del mausoleo Varela y emitiré una ráfaga de "sonidos fantasmales" desde mi celular.

—Correcto, pero tienes que esperar que te dé la señal. Recuerda, tiene que quedar perfecto esta vez. El Sr. Vincent no estaba hablando por hablar cuando dijo que vendría hoy.

Simón difícilmente perdía la calma, pero esta noche Lucely podía notar su nerviosismo. Aún no le había confiado que estaban a punto de perder su hogar y que si el Sr. Vincent asistía y el espectáculo quedaba bien, les darían una prórroga. Ella tendría solo doce años, pero no era tonta. Le hubiera gustado que su padre le dijera la verdad.

—¿Cuándo te he decepcionado, papá? —dijo—. Espera, no me lo digas.

El hombre se secó unas gotas de la frente, pero un segundo después el sudor volvió a cubrir su piel color café oscuro.

—Es que es muy importante, chula.

Lucely sonrió y asintió. Eran un equipo. Ella cuidaba de él y él cuidaba de ella. Así había sido siempre, o al menos desde que su madre se marchara sin mirar atrás.

La excursión de esta noche tendría lugar en el cementerio que estaba cerca de la casa. Cuando Lucely estuvo lista, salió usando la linterna de su celular para no tropezar con las lápidas.

Oculta tras la cripta de la familia Varela, esperó atenta a escuchar la voz de su padre. A pesar de la fresca brisa otoñal, el sudor le bañaba la cara. Su parte favorita de la excursión estaba a punto de comenzar.

Las luces hacían que las tumbas proyectaran largas sombras alrededor del lugar donde estaba oculta. Cuando

el grupo de personas se acercó al mausoleo entre susurros y risitas nerviosas, Lucely alistó la grabación espeluznante en su celular.

—Y aquí tenemos la cripta de la familia Varela —resonó la voz de su padre en la oscuridad.

“Solo unos segundos más —pensó Lucely—, y esta gente pasará el susto de su vida”.

Las mejillas le dolían de sonreír, divertida por anticipado.

—Esta era una familia muy ilustre en el siglo dieciocho, pero guardaba un secreto siniestro…

Simón se detuvo y el grupo guardó silencio. La niña no podía ver a su padre, pero podía imaginárselo ahora mismo: una ceja levantada, los ojos muy abiertos, las grandes manos extendidas dramáticamente frente a él. Siempre había sabido cómo vender una historia, de eso no cabía la menor duda.

—Uno a uno, los niños de la familia Varela se fueron enfermando y murieron. Los médicos no lograban descubrir por qué. Se decía que su madre, Dolores Varela, los había estado envenenando.

El grupo resopló al unísono, como si lo hubiesen ensayado.

—También corre el rumor —continuó Simón, haciendo una pausa para situarse al lado de la cripta, de manera que ahora Lucely podía verlo perfectamente— de que puede verse a los espíritus de los niños deambulando por el cementerio, llamando… —Lucely reprimió una risita; ya venía la señal— a su madre.

En el justo momento en que esas palabras salieron de los labios de su padre, Lucely reprodujo la grabación en su celular.

"Maaamaaaá", la voz se dispersó por las sombras a través de altavoces ocultos por todo el cementerio. Los más supersticiosos pegaron un grito, y Lucely tuvo que sofocar una risa.

Cerca del grupo, completamente impasible, estaba parada una mujer mayor que a Lucely le recordó a su abuela. Se volteó y miró directamente a la niña, que ahora pudo verla mejor. Titilaba y sus ojos resplandecían con un blanco brillante. La cara, que Lucely conocía como si fuera la suya, estaba desencajada de terror.

—¡¿Mamá?! —gritó.

Su abuela se materializó frente a ella con los ojos muy abiertos.

—Lucely, se acercan —dijo Mamá con la voz quebrada.

Agarró a la niña por las muñecas con las manos heladas, y Lucely se sorprendió de que estuviesen frías.

—¿Quién se acerca? ¿Qué pasa, Mamá? —preguntó con la respiración entrecortada.

Dio unos pasos hacia su abuela, saliendo del escondite.

—No me olvides, niña. ¡Sé fuerte!

El celular de Lucely cayó al suelo y la grabación se detuvo abruptamente.

Todo había salido mal.

—¡Espera, Mamá, por favor! —exclamó.

Ahora todos podían verla. Los excursionistas se quejaron, claramente molestos porque el truco había sido un desastre. Lucely divisó al Sr. Vincent, que lucía bastante decepcionado. Su padre no parecía feliz.

—¡NOOO! —gimió Mamá con una voz tan aterrada que hasta la niña se encogió. Mamá agitaba las manos en el aire, como defendiéndose de alguien que trataba de hacerle daño.

—¡Por favor, Mamá! ¡Que alguien la ayude! —gritó Lucely, arrojando piedras hacia la amenaza invisible que atacaba a su abuela.

Sin embargo, ella era la única que podía verla.

Mamá Teresa se elevó por encima de los árboles que los rodeaban, se lanzó en picado y atravesó el cuerpo de la niña. Lucely sintió un dolor intenso y mucho frío, como si se hubiera sumergido en una bañera llena de hielo.

Cayó al suelo y su cuerpo se estremeció como la réplica de un terremoto.

De su garganta surgió un sonido bajo y gorgoteante.

—Lucely —dijo con la voz de su abuela—, una tiniebla se aproxima. ¡Corre!

Se escucharon gritos sordos, y luego la voz de su padre diciéndole que se pondría bien. Sintió el aliento cálido del hombre sobre ella, el olor a canela y de aquel suavizador azul de tela del que siempre echaba demasiado.

—Papi, lo siento —dijo con voz ronca.

Luego solo hubo oscuridad.

El suave resplandor de la luna se filtraba por la ventana de su dormitorio cuando Lucely recobró el conocimiento y sintió el peso de su papá al pie de la cama. Al incorporarse, el cuarto giró a su alrededor, como si hubiera estado dando vueltas de carnero loma abajo.

—Ayy —Lucely se tocó la parte de atrás de la cabeza.

—Toma —le dijo Simón, alcanzándole una compresa de hielo para que se la pusiera sobre el pequeño chichón que se le había hecho al caer.

Los recuerdos regresaron y comenzaron a darle vueltas en la cabeza: la excursión, Mamá, los excursionistas enojados. ¡Qué clase de lío!

—¿Está Mamá…? —empezó diciendo, pero comprendió que no había manera de que su papá supiera de lo que hablaba.

Miró la mesita junto a su cama, pero no vio luciérnagas en el frasco. Tendría que esperar a que todo dejara de darle vueltas para ir hasta el sauce y preguntarles a los otros ancestros.

En eso sonó el celular de Simón. Antes de que este pudiera acercárselo al oído, una voz estridente estalló del otro lado. Salió al pasillo y Lucely esperó a que estuviera afuera antes de intentar ponerse de pie.

—Uy, uy.

El cuarto se tambaleó a su alrededor. Tras dar algunos pasos, cuidadosos, pudo llegar hasta la puerta, desde donde podía escuchar la conversación de su papá.

—Mis disculpas, señora —dijo Simón, pero la voz del

otro lado lo cortó—. Sí, por supuesto. Reembolsaré a todos los participantes en la excursión. Disculpe el incidente. Entiendo que está en su derecho de escribir una reseña, pero ¿es realmente nece... —Simón suspiró—. Tendré listo el dinero de la devolución a primera hora de la mañana. Le reitero mis disculpas y...

La mujer le colgó. Qué pesada.

Lucely se subió de nuevo a la cama y se tapó con la manta justo cuando su padre regresaba al cuarto. Por un pelo.

—¿Quién era? —preguntó.

—Tengo que reembolsarles a los clientes el dinero de la excursión de esta noche —dijo el hombre, sentándose a su lado.

Lucely sabía que su papá estaba haciendo un esfuerzo por mantener la calma, pero esto era un asunto serio. Las ganancias de una sola excursión representaban mucho para ellos. No podía imaginarse la magnitud del daño.

Simón se pasó la mano por la frente, tenía más ojeras que de costumbre.

—Lo que ocurrió no fue tu culpa, ¿de acuerdo?

Pero *sí* había sido su culpa. Se quedó paralizada al

notar la derrota en los ojos de su papá. Haría lo que fuera para deshacer lo que había pasado esa noche.

Se retorció las manos, luchando contra el deseo de contarle a su padre lo que había pasado con Mamá. Sabía que la historia lo disgustaría, pero no podía ocultarle algo como eso.

Simón escuchó atentamente mientras su hija hablaba. Cuando terminó, le puso las manos sobre los hombros. Parecía casi aliviado.

—Debiste sentir mucho miedo, Luce. Me alegra que estés bien. ¿Sabes si Mamá está bien? —preguntó.

—No lo sé. Ojalá.

A Lucely se le hizo un nudo en el estómago. Lo que menos necesitaba su papá era otra razón para preocuparse. Ella había visto un vídeo en YouTube donde explicaban que el estrés era un asesino silencioso, y no quería ser la causa de que su papá estirara la pata.

El hombre le dio un ligero apretón en el hombro al levantarse y enderezó el retrato de Enriquillo en la pared antes de irse a su oficina.

—Dulces sueños, Luce.

—Buenas noches, papá.

La niña se incorporó y se abrazó las rodillas,

apretándolas fuertemente contra su pecho. Luchaba por contener las lágrimas y hacía un gran esfuerzo por ignorar el dolor de cabeza que comenzaba a sentir. No permitiría que el Sr. Vincent les quitara la casa y tenía que averiguar qué le pasaba a sus luciérnagas. Costase lo que costase, tenía que arreglarlo.

CAPÍTULO TRES

LUCELY SE SENTÓ BAJO el follaje del sauce, en la rama más baja, como hacía cada mañana antes de irse a la escuela. Cerró los ojos, respiró hondo y dejó que el olor de las hojas y la tierra empapada de lluvia le llenara los pulmones. Sintió que el aire se volvía más cálido y, aun sin abrir los ojos, supo que las luciérnagas estaban despiertas y revoloteaban a su alrededor, emitiendo su luz y tranquilizándola como habían hecho tantas veces. Si pudiera conservar esta sensación durante todo el día, quizás la escuela no sería tan terrible. Las luciérnagas eran lo que la hacía especial, un secreto que nunca le había contado a nadie fuera de su familia, con excepción de Syd.

Cada rama del sauce estaba adornada con frascos de

distintos tamaños que dejaban ver el resplandor ambarino de la luciérnaga que llevaba dentro. Allí estaban su Tía Milagros y su primo Manny, su abuelo, sus bisabuelas y toda la familia de fantasmas con la que había crecido; pero la luciérnaga de Mamá estaba inmóvil.

Lucely tomó con cuidado el frasco de la abuela, acariciando el cristal liso antes de abrirlo. Un sollozo se le atragantó al buscar señales de movimiento.

Las alas de Mamá se agitaron suavemente, pero había perdido su luz. Lucely trató de despertarla, de que mostrara su forma humana, pero no hubo manera. Nunca antes les había sucedido algo así a las luciérnagas, y no pudo evitar llorar.

Estaba tan preocupada y se sentía tan… impotente. Si perdían la casa, perderían el sauce, y ¿qué podía hacer? Era solo una niña. Su corazón se volvió a encoger al pensar en su madre. Si se iban, ¿cómo podría ella encontrarlos? Siempre había tenido la esperanza de que algún día, si las cosas iban mejor en casa y si el negocio mejoraba, su madre regresaría. Su padre no lo sabía, pero antes de cada excursión ella rezaba una corta oración para que su madre volviera. Esperaba que entrara por la puerta un día, después de una de esas excursiones, quitándose el pañuelo y descubriendo el pelo negro rizado igual que el suyo, y la abrazara. Cerró los ojos y respiró hondo. Casi podía sentir el olor de su madre, el olor a aceite de coco que usaba en el pelo, el olor a fruta de su protector labial favorito. Si estuviera aquí, sabría arreglar el lío que ella había armado.

—¡Lucely!

La voz de su padre la sacó del trance.

Se balanceó y bajó del árbol a toda carrera.

—Por Dios, mira lo que te hiciste —dijo Simón, negando con la cabeza al verla.

Lucely se miró la rodilla, de donde brotaba sangre. Al parecer se la había raspado al bajar del árbol. Capturó en el aire una toalla de papel húmeda que su papá le lanzó y se limpió la herida.

—¿No sentiste nada?

—Es solo un rasguño, papá. Tranquilo. —Sonrió.

Tiró la toalla de papel y se colgó la mochila.

—A veces me parece que no te darías cuenta si se te cayera la cabeza —le dijo Simón—. ¿Quieres que te lleve a la escuela? No empiezo a trabajar hasta dentro de una hora.

—No, no hace falta. Estaba pensando encontrarme

con Syd para ir en bicicleta. —Sonrió otra vez antes de despedirse.

—Vamos a buscar la casa del Sr. Vincent después de la escuela para poncharle los neumáticos —dijo Syd Faires, apretando los puños, mientras se dirigían a la clase de Historia.

—¿Cómo va a ayudar eso con el problema de la casa? —Lucely bajó la voz hasta covertirla en un susurro—. ¿O con lo de las luciérnagas?

—Probablemente no ayude, pero la venganza es dulce.

Lucely negó con la cabeza, aunque le agradó ver que a Syd comenzaba a pasársele el insulto. Le preocupaba que a su mejor amiga se le explotara una vena o algo parecido.

—No puedes irte, Lucely. Tú eres casi la única persona agradable en esta estúpida escuela. Me veré obligada a conversar con los profesores para divertirme —refunfuñó Syd.

—Entonces tenemos que idear un plan mejor que el de poncharle las gomas al Sr. Vincent. Y rápido.

El salón estaba extrañamente tranquilo cuando

llegaron y tomaron asiento. El profesor, el Sr. López, lucía muy solemne. Lucely miró a Syd confundida y se frotó los brazos. La temperatura del salón, cuando no era asfixiante estaba a punto de congelación. El termostato, como casi todo en la escuela, era muy viejo y estaba estropeado o roto.

—¿Examen sorpresa? —susurró Lucely.

Syd frunció el ceño.

—Ojalá que no, porque me dará un ataque.

Cuando todos los alumnos se sentaron, el Sr. López caminó hacia la puerta y apoyó la mano en la pared.

—Hoy vamos a hablar de…

De pronto el aula se oscureció. El profesor había apagado el interruptor de la luz.

—¡Brujas!

El salón estalló en chillidos y risitas.

La oscuridad se fue desvaneciendo con los rayos de sol que se filtraban por las ventanas. Un escalofrío le recorrió la columna vertebral a Lucely mientras esperaba emocionada la clase que iba a comenzar. Casi podía sentir a Syd saltando de alegría en su asiento. Su amiga estaba obsesionada con cualquier cosa sobrenatural o aterradora, especialmente las brujas.

El Sr. López escribió en la pizarra las palabras “Las

brujas moradas", con una caligrafía rebuscada, y se volvió hacia el salón con el ceño fruncido.

—¿Alguien sabe quiénes fueron las brujas moradas?

No había terminado la oración y ya la mano de Syd se agitaba frenéticamente en el aire. El profesor sonrió.

Syd se aclaró la garganta y se puso de pie. Se acomodó las largas trenzas negras sobre los hombros, ignorando las miradas de soslayo de algunos de sus compañeros. Para Lucely era siempre un misterio cómo su amiga se las arreglaba para ser tan genial y tonta a la misma vez. "Solo necesitas tener confianza en ti misma", le decía Syd, imitando la calma de su papá, que era músico de una banda de metales, o la de su mamá, que era baterista. Lucely tenía la esperanza de que si pasaba tiempo suficiente con su mejor amiga, un día algo de eso se le pegaría a ella.

—Cuenta la leyenda que las brujas moradas fueron un aquelarre de brujas españolas que huyeron a San Agustín en la época de la Inquisición. Escogieron el nombre de "moradas" porque se cree que es un color poderoso relacionado con lo místico y lo sobrenatural. Se dice que uno puede…

El profesor alzó la mano.

—No necesitamos una clase completa de historia por

ahora, Syd. Ya tendrás tu oportunidad, gracias.

Syd se sentó con gesto de desilusión. La entusiasmaba todo lo que tuviera que ver con la magia, y podía hablar horas y horas sobre eso. Era su tema favorito, con el que solo podían competir los macarrones con queso y la pizza.

—Es exactamente como dice Syd. Las brujas del Aquelarre Morado, como también se les llama, eran poderosas y temidas, peligrosas y astutas. Cuenta la leyenda que hace mucho tiempo se perdió un libro secreto de hechizos que pertenecía a este aquelarre. Estaba enterrado en algún lugar secreto y peligroso.

—¿Usted sabe dónde podría estar? —soltó Syd sin levantar la mano.

—Nadie lo sabe con exactitud. Si la leyenda fuera cierta y el libro fue escondido en algún lugar de la ciudad, es probable que ya lo hubieran hallado.

Syd arrugó la nariz y Lucely aguantó una risita. Esa no era la respuesta que su amiga esperaba.

—¿Qué clase de cosas contenía ese libro? —preguntó otro estudiante.

—Hechizos amorosos —comenzó diciendo el profesor.

Todos se rieron al unísono y algunos niños fingieron sentir arqueadas.

—Cálmense. También tenía hechizos para la buena suerte, para el dinero e, incluso —dijo el Sr. López, arqueando una ceja con aire de misterio—, un conjuro para hacer andar a los muertos, para traerlos desde ultratumba, como fantasmas.

—Los fantasmas no existen —soltó uno de los niños.

—Levanten la mano para hablar —dijo el profesor—. Sí, mucha gente piensa eso, pero otros piensan que los fantasmas andan entre nosotros. Tal vez aquí mismo, en este mismo salón.

La clase hizo silencio. Lucely se estremeció en su asiento, invadida por una sensación escalofriante. Los fantasmas podían ser una broma para sus compañeros, pero ella sabía la verdad. Sabía que el mundo de los fantasmas estaba mucho más cerca de lo que cualquiera podía imaginar.

—Algunos dicen que el Aquelarre Morado tenía hechizos que harían que viésemos a esos fantasmas y que los muertos caminaran por el mundo y fueran tan reales como ustedes y yo. Nadie sabe qué fue de esas brujas, pero se rumora que sus espíritus aún rondan por las calles de San Agustín, buscando venganza por haber sido expulsadas de sus hogares. Sin embargo, eso son solo tontas leyendas populares... ¿O no?

Lucely tanteaba la combinación de su cerrojo, tratando por tercera vez de abrir su taquilla.

—Holaaa... Lucelyyyy... ¿Dónde *estás* hoy?

Syd agitaba la mano frente a la cara su amiga. Lucely sintió el olor de su chicle y de su brillo labial.

—¿Eh? Disculpa, tengo tantas cosas en la cabeza.

—Estuve pensando en lo que me contaste —dijo Syd, bajando la voz—. Sobre las luciérnagas. ¿Y si encontramos ese libro del que hablaba el profesor? El de los conjuros.

—El Sr. López dijo que solo era una leyenda popular. —Lucely arqueó una ceja.

—Eso es lo que dicen siempre los profesores, y cuando salen de la escuela se ponen unos *jeans* y se van a investigar cosas. Lucely, si encontráramos ese libro, ¿no te parece que podría ayudar a Mamá?

—¿Cómo?

Lucely no lo creía, pero sabía que no podía subestimar a Syd. Ella siempre tenía buenas ideas.

—Piénsalo. Si el conjuro es capaz de *hacer andar a los muertos,* podría despertar a Mamá, ¿no crees?

Lucely se rascó la barbilla. Sabía bien que los

fantasmas eran reales y también que algunas personas deseaban que lo fueran. Por eso pagaban para que los asustaran en las excursiones. Si había un conjuro para despertarlos, eso era quizás lo que necesitaban para ayudar a Mamá.

—Admito que es el mejor plan que he oído hasta ahora —dijo Lucely.

Quizás no podía hacer nada para conservar la casa, pero al menos podía tratar de salvar a su familia de luciérnagas.

—En realidad es el único plan que has oído hasta ahora —se rio Syd.

—Perdona que esté tan negativa. Es que estoy preocupada por Mamá y por todo el asunto de la casa.

—Claro. ¡Por eso trato de ayudarte! El Sr. Vincent dijo que tu padre tenía hasta finales de mes para juntar el dinero, ¿verdad? Bueno, eso debería darnos tiempo suficiente para salvar a las luciérnagas y ayudar a que las excursiones de tu padre no sean tan malas. Deberíamos hacer un maratón y ver todas las temporadas de *Buscadores de fantasmas* para que se nos ocurran ideas. Déjamelo a mí.

Buscadores de fantasmas era la serie de televisión

favorita de Syd, en la cual tres mujeres y un camarógrafo buscaban actividad paranormal en hospitales abandonados y otros lugares embrujados.

—¡Las excursiones de papá no son malas!

Syd ladeó la cabeza y la miró con complicidad.

—Bueno, quizás sean un poco malas, pero no seas tan cruda, Syd. Cielos, recuerda que soy sentimental, una Hufflepuff. —Lucely se mordió el labio—. Quiero decir, puede que funcione, seguro. Pero no sé. Si el libro existiera, hace rato que alguien lo habría encontrado.

—Exacto. Y si alguien encontró ese libro, ya sabes quién fue.

Una sonrisa iluminó la cara de Syd y sus ojos se encontraron con los de Lucely. Evidentemente estaban pensando lo mismo, porque las dos respondieron al unísono.

—Babette.

CAPÍTULO CUATRO

LAS FLORES ANARANJADAS Y AMARILLAS salpicaban la hiedra que colgaba de los balcones. Lucely y Syd atravesaban la ciudad en bicicleta, pasando junto a las tiendas de la avenida San Marco, que a medida que se acercaba Halloween comenzaban a poner sus decoraciones. Falsas tumbas se alineaban por las aceras, con nombres como Emma Cadáver y Ricky de los Huesos. La tienda de golosinas estaba decorada como una casita de jengibre y uno de los dependientes estaba parado junto a la puerta disfrazado de bruja, invitando a los niños a entrar. Desde los faroles hasta los buzones colgaban telarañas con arañas de juguete, y los árboles estaban adornados con luces verdes y naranjas, que lucían más auténticas y espeluznantes de noche.

Era un día fresco, esa clase de día en que se podía usar bermudas a pesar de necesitar un suéter. Ambas chicas llevaban gorras de béisbol para protegerse del sol. La de Syd tenía dibujados macarrones y la de Lucely, un trozo de queso: dos raros regalos navideños de Babette del año anterior.

La abuela de Syd, Babette, vivía en el norte de la ciudad, a solo unos kilómetros de la escuela, en una casa vieja en la que también tenía su tienda de ocultismo: Baratijas de Babette. Un pequeño letrero pintado a mano, por el costado de la calle principal, indicaba la entrada pedregosa donde los clientes podían estacionar. Desde allí, los visitantes tenían que caminar por un estrecho sendero de tierra, con densos setos de árboles a ambos lados, hasta que alcanzaban el claro donde estaba la casa de Babette. Finalmente podían atravesar una desvencijada pasarela sobre un estanque pantanoso, infestado de caimanes, o remar en un pequeño bote que Babette tenía amarrado a un muelle fuera de la vista. Si uno no sabía que la tienda estaba ahí, nunca la hubiera encontrado. Estaba adosada a la casa de Babette, y toques de púrpura asomaban por los escasos claros donde la hiedra no había ocultado completamente la pintura.

Lucely y Syd se pararon en el claro a sopesar sus opciones: la pasarela o el botecito. A pesar de que Lucely sabía que la pasarela solo estaba hechizada para parecer vieja y destartalada, no podía evitar sentir que podía hundirse en cualquier momento.

Las niñas acomodaron sus bicicletas dentro del pequeño bote de madera, equilibrando el peso para no volcarse, y remaron el corto trecho.

La casa parecía balancearse con el viento, produciendo sonidos semejantes a los de una vieja lechuza. Racimos de glicinias adornaban cada ventana y, aunque lucían encantadoras, Lucely sabía que las avispas frecuentaban las flores de la casa de Babette y parecían sentirse a gusto allí.

Dejaron las bicicletas en el portal antes de entrar.

La tienda olía a incienso y a pan fresco. A Babette le encantaba hornear y por eso siempre había algo cocinándose.

La puerta se abrió con un chirrido, como diciendo "Adelanteeee".

En cuanto las niñas pusieron un pie adentro, los gatos bajaron corriendo.

Syd le había puesto a cada uno de los ocho gatos de

Babette el nombre de alguno de los personajes de los *Goonies*. Mouth, un gato desaliñado y sarnoso, se puso a gemir sin parar, reclamando atención o algo de merienda. Sloth, un esfinge fornido al que le faltaba una oreja debido a una riña con otro gato, se revolcó encima de una mesa a la entrada, derribando unos candelabros con telarañas. Chunk restregó su pesado cuerpo contra la pierna de Lucely, soltó un "miau" y luego, acostándose boca arriba, mostró su enorme vientre peludo.

—Hola, Chunk —dijo Lucely, y se agachó para darle lo que quería: masajitos en la barriga.

La niña había estado aquí antes, pero usualmente para pasar la noche. La casa de Babette era uno de esos lugares con misterios infinitos, un laberinto de corredores y cuartos oscuros por explorar, y encajaba mejor en el Callejón Diagon que en los pantanos de la Florida. Tenía puertas que Lucely ni siquiera había abierto, las cuales parecían conducir a un lugar, pero llevaban a otro completamente diferente, lo cual era un poco frustrante si uno necesitaba ir al baño en medio de la noche.

El ala de la casa donde Babette tenía la tienda estaba al pasar el camino de entrada, que conducía a una cabaña con plantas, cebollas y figuritas colgadas del techo. Parecía pequeña, pero era mucho más grande de lo que aparentaba. Las paredes estaban cubiertas de velas (algunas encendidas), libros (algunos que pasaban las páginas por sí solos) y todo tipo de cosas extrañas. Sobre las mesas y los estantes de la tienda había pociones para curar todo tipo de padecimientos, desde la mala suerte hasta la calvicie, y dondequiera que se mirara parecía haber una cola de gato meneándose o pequeñas garritas que sobresalían de los rincones.

—¡Niñas, cierren la puerta para que los gatos no se vayan! —dijo una voz ronca, pero fuerte, desde el cuarto del fondo.

Syd dio un brinco al oír a su abuela y Lucely cerró rápidamente la puerta.

—¿Cómo supo que éramos nosotras? —susurró.

—Es bruja, ¿no te lo dije? —contestó Syd.

Desde hacía mucho tiempo existía el rumor en la ciudad de que Babette era más que una simple vendedora de rarezas y objetos de ocultismo: se decía que *en realidad* era una bruja. A Syd, más que disgustarle, parecía agradarle este rumor. Amenazaba con embrujar a todo el que se atreviera a burlarse de su querida Babette, y los chicos terminaban por aburrirse o asustarse demasiado como para seguir molestándola.

—¿Niñas, por qué no están en la escuela?

Babette salió del cuarto con sus lindas trenzas grises enrolladas en lo alto de la cabeza. Parecía caminar flotando, como si sus pies apenas tocaran el suelo. Era esbelta y elegante, con pómulos pronunciados y cálidos, y la piel oscura como la de Syd. Vestía un fino caftán azul de mangas largas y ribetes de seda.

—Son las cuatro de la tarde, Nana. ¿Acabas de despertarte? —dijo Syd, abrazando a la anciana.

—Cuando llegues a mi edad, muchachita, nadie podrá decirte *cuándo ni cuánto tiempo* puedes dormir —rio Babettte—. Ay, nena —añadió, agarrándole el mentón a Lucely—, qué alta estás.

—Hola, Babette. —A Lucely le ardían las mejillas.

Estaba acostumbrada a que su padre fuera cariñoso con ella, pero la familia de Syd llevaba el cariño a otro nivel.

—¿Vinieron solo para acariciar a los gatos o qué? —Babette arqueó una ceja y miró a Lucely, que acariciaba a Chunk como a un bebé.

Chunk no era una gata muy cariñosa, pero no le

molestaba que la cargaran. Cualquier excusa le servía con tal de no caminar.

—¿Es que no podemos pasar a visitarte sin segundas intenciones? —dijo Syd, haciéndose la ofendida.

Babette frunció la boca. Siempre sospechaba.

—Pueden echar un vistazo, pero sean *cuidadosas*. No vayan rompiendo nada por ahí. Si lo hacen, las obligaré a limpiar los estantes hasta que sean tan viejas como yo.

—Miau —añadió Chunk.

Ambas niñas lanzaron un quejido.

Babette tenía alrededor de treinta grandes estantes llenos de pergaminos y libros de distintos tamaños, y tal parecía que el polvo hubiera estado acumulándose en ellos desde que se inventó la imprenta. Una vez, las niñas cometieron el error de entrar a la tienda y hacer mucho ruido mientras ella atendía a unos clientes, y las obligó a sacudir el polvo de los estantes. Les llevó horas terminar y, aproximadamente después de setecientos estornudos, Lucely juró no sacudir el polvo nunca más. Ese día, Lucely y Syd habían ido a investigar para un proyecto de la escuela, y sucedió algo curioso. Estaban mirando la colección de libros de Babette sobre historia y tradiciones locales cuando Lucely accidentalmente descubrió una puerta escondida en un rincón de la habitación. Apenas habían tenido oportunidad de mirar dentro del cuarto y descubrir una especie de libro secreto cuando Babette las encontró. Tenía el rostro ceniciento y los ojos muy abiertos.

—Esta sección está prohibida —les dijo, arrastrándolas fuera del cuarto—. A las niñas que se entrometen, les pasan cosas malas.

Les hizo prometer que no lo intentarían de nuevo, así que *debía* tener algo escondido allí.

Babette entró en la cocina para hacerse un té "para el dolor de cabeza que ustedes dos probablemente me van a causar", mientras Lucely y Syd se dirigían a los libreros del fondo de la tienda. Chunk y Mikey, los gatos más pequeños, iban pisándoles los talones.

Las niñas buscaron primero en los anaqueles más altos, apoyándose en una tambaleante pila de libros para llegar hasta arriba.

—¿Recuerdas al menos cómo lucía el libro? —preguntó Syd.

—Mmm… realmente no. —Lucely se mordió el labio—. Era viejo y tenía una carátula oscura.

—Magnífico. Entonces podría estar camuflado.

Continuaron en silencio, mirando libro por libro; era como buscar una aguja en un pajar. Chunk estaba acostada sobre una pila de libros, roncando ya. Lucely jamás entendería cómo era posible que los gatos pudieran quedarse dormidos en lugares tan raros.

Syd rompió el silencio.

—No quiero ser pájaro de mal agüero… pero si tú y tu papá tuvieran que mudarse, ¿adónde irían?

Lucely no quería ni pensar en eso, aunque ya lo había hecho, por más que no quisiera admitirlo.

—No estoy segura. A algún lugar aburrido, me imagino.

—Pues yo no estaré allí, obviamente.

—Si tuviéramos que irnos… —empezó diciendo Lucely, y se le hizo un nudo en la garganta.

Movió un par de libros más y le lanzó una rápida mirada a su amiga sintiendo que la invadía la vergüenza. Sabía que Syd no la presionaba, pero no tenía a nadie más con quien hablar sobre eso.

—Si nos mudamos, me temo que vamos a perder el contacto con las luciérnagas.

Syd la haló por el brazo y la abrazó.

—No te preocupes por eso. Nos aseguraremos de que no tengas que mudarte. ¡Podemos encadenarnos al árbol u organizar una venta gigante de pasteles para recaudar fondos e invitar a toda la ciudad! No estás sola en esto.

Lucely sonrió, ocultando el dolor que sentía en el corazón. No obstante, Syd tenía razón: no estaba sola. Quizás su mamá ya no estuviera cerca, pero su papá siempre estaba ahí cuando más lo necesitaba. Syd, por su parte, era mandona, pero también estaba siempre allí para decirle las palabras que más necesitaba oír; por eso era su mejor amiga.

—Miremos en algunos de los estantes más altos —dijo Syd, acercando la escalera de corredera desde un rincón de la habitación.

Lucely siguió mirando por encima del hombro, preocupada por que Babette las encontrara husmeando.

—Si viene, podemos decir que estamos investigando para un proyecto de la escuela. No es para tanto. —Syd se encogió de hombros.

Lucely empujaba suavemente la escalera mientras su amiga escudriñaba sin éxito los libros enmohecidos.

—Bueno, esto ha sido una pérdida de tiempo colosal

—jadeó Lucely, recostándose en el librero que habían terminado de revisar.

Antes de que pudiera reaccionar, sintió que se caía hacia atrás. El duro suelo de madera la recibió con un batacazo.

Syd se dio vuelta y vio a Lucely aturdida, tratando de orientarse.

—¡Luce! —Corrió a su lado—. ¿Estás bien?

—¿Qué sucedió?

Lucely pudo enfocar poco a poco. Se volvió hacia la pared: donde hacía unos segundos estaba el librero, ahora se podía ver la entrada al cuarto secreto de Babette.

Syd sacó el celular y encendió la linterna para iluminar la habitación mientras entraban sigilosamente. Al fondo había una pequeña colección de libros sobre una repisa baja con un letrero que rezaba: NO TOCAR. Justo debajo, con una escritura elegante, decía: ¡Y ME REFIERO A TI, SYDNEY FAIRES!

—Tu abuela es a veces demasiado rara.

—Lo dice la niña que convive con fantasmas —dijo Syd.

—Tienes razón.

Lucely agarró uno de los libros y lo abrió, levantando una nube de polvo que le cubrió la cara. Un picor en la garganta le produjo un ataque de tos que se esforzó por contener para no alertar a Babette.

Syd estaba ayudándola a quitarse el polvo cuando Lucely divisó la esquina de lo que parecía un tosco cuaderno, debajo de un montón de papeles raídos. Estaba encuadernado con un forro de piel color café y tenía aspecto de estar a punto de deshacerse.

—¿Qué es? —preguntó Syd.

Lucely lo abrió en una página al azar. En la parte superior tenía garabateadas las palabras "Para la eliminación de verrugas resistentes", seguidas de instrucciones en un lenguaje incomprensible y una lista de ingredientes.

—¿Podría ser...?

—¿Un libro de magia? —dijeron las dos al unísono.

Las páginas estaban llenas de conjuros garabateados: para deshacer arrugas, para recuperar objetos perdidos, para causarle a tu enemigo una gripe estomacal... Lucely volvió a la primera página para ver si allí había algún indicio de a quién pertenecía el cuaderno.

—Hay una lista de nombres, pero todos han sido tachados, excepto el último: Anastasia M.

—Nunca lo había oído —dijo Syd.

Revisaron todas las páginas en busca de algo que pudiera revivir a Mamá y detener lo que fuera que amenazaba a las luciérnagas. Al llegar al final, su esperanza se esfumó.

—¡Espera! —susurró Lucely—. Faltan algunas páginas. Parece que fueron arrancadas.

—Quizás el hechizo que necesitamos *estaba* aquí —dijo Syd, examinando esa sección del libro.

Justo entonces, Chunk maulló y se escuchó la voz de Babette en la cocina.

—¿Niñas, quieren merendar? Tengo restos de ancas de rana guisadas y unos hígados de pollo que puedo freír si tienen hambre.

El estómago le dio un vuelco a Lucely como si estuviera descendiendo por una empinada montaña rusa.

—Vámonos de aquí —susurró.

Se metió el libro de conjuros dentro de los *jeans* y ambas salieron como locas del cuarto, esforzándose por cerrar la entrada.

—¡Si nos atrapa, estaremos haciendo sus tareas domésticas hasta ser unas viejas arrugadas de veintisiete años! —susurró Syd mientras trataban de volver a colocar en su sitio el pesado librero.

Justo en el momento en que lograron ocultar el cuarto secreto, entró Babette.

A Lucely el corazón le latía con fuerza. Estaba segura de que la abuela de su amiga podía percibir el miedo en sus ojos del mismo modo que ella podía ver el sudor en la frente de Syd.

—¿Qué se traen entre manos, niñas? Se ven más asustadas que dos ratones enjaulados —dijo Babette, arqueando una ceja.

—Estábamos echando un vistazo y Lucely leyó una historia sobre una bruja que no tenía ojos, me asustó y... —balbuceó Syd nerviosamente.

—Buscábamos un libro sobre las brujas moradas para un proyecto de la escuela. Las estudiamos hoy en Historia —soltó Lucely.

Syd la fulminó con la mirada y Babette frunció los labios.

—Fuera, fuera. Este cuarto está lleno de cosas en las que ustedes no tienen por qué meterse.

Las niñas temblaban del miedo cuando Babette las empujó afuera.

—Esperen un minuto —dijo la anciana de pronto.

Lucely y Syd se quedaron congeladas. Lucely sentía

que el libro de hechizos se calentaba al contacto con su piel. Seguramente las habían atrapado.

—No se muevan —Babette les hizo una seña con el dedo y desapareció ante a sus ojos.

—Ay, Dios mío. Nos va a encerrar en el sótano y jamás nos dejará salir —chilló Syd.

—Fue bonito haberte conocido, Syd. Te extrañaré cuando las dos estemos muertas.

Syd se estremeció cuando su abuela volvió a entrar en la habitación llevando algo en las manos.

—Tengo un libro que les puede gustar. —Babette aún lucía molesta, pero había un destello malicioso en sus ojos—. *Historia de la magia y el ocultismo.*

Las niñas se miraron una a otra.

—Este libro contiene todo lo que quieran saber sobre brujas, incluyendo el mayor aquelarre que existió jamás: las brujas moradas —dijo Babette, y suspiró al darle el libro a Lucely.

A la niña se le cortó la respiración.

—Yo pensaba que eran malvadas —dijo Syd.

—¡Bah! No crean todo lo que los maestros les reciten de sus libros de historia. Todos prefieren que una mujer poderosa sea malvada. Para empezar, ¿cómo crees que las brujas llegaron a tener ese nombre, eh?

El libro no parecía simplemente viejo, sino que podía deshacerse de un momento a otro. Además, en el interior de la cubierta tenía algo que parecía ser una caquita de ratón aplastada.

—¿Dónde lo encontraste, Babette? —preguntó Lucely, esforzándose por no poner cara de asco.

—En uno de los cementerios locales, creo —dijo la anciana, tras hacer una pausa.

—¿En un cementerio? ¿Qué lugar es ese para un libro? —preguntó Syd.

—¿Qué mejor lugar para enterrar la verdad que entre los muertos?

—Nos salvamos por un pelo. —Lucely se puso el casco sobre sus alborotados rizos y se montó en la bicicleta.

—Sentí que iba a vomitar, estaba tan asustada —dijo Syd.

—Yo también. —Lucely negó con la cabeza—. Bueno, ¿a qué hora piensas que deberíamos ir?

—¿Adónde? —Syd parecía confundida.

—¿Sabes quién es Anna McMaster?

Syd negó con la cabeza.

—Hay un mausoleo en el cementerio cercano a mi casa que pertenecía a la familia McMaster—dijo Lucely—. Tenían una hija llamada Anna que se fugó cuando tenía diecisiete…

—¿Crees que ella sea la Anastasia que estamos buscando? —la interrumpió Syd.

Lucely arqueó una ceja, miró a Syd con expresión de "¿Me dejarás terminar?" y continuó.

—Pasaron años sin que nadie supiera nada de ella, sus padres pensaron que había muerto y decidieron enterrar un ataúd con algunas de sus pertenencias. Quizás las páginas que faltan fueron enterradas ahí.

—¿Estás sugiriendo que vayamos y abramos una tumba? —Syd parecía estar a punto de desmayarse—. ¿Cómo diablos sabes todo eso, por cierto?

—De ayudar a mi padre en las excursiones, ¡obviamente! —rio Lucely—. Y hay una sola manera de averiguarlo. Vi un manojo de llaves maestras cerca de donde encontramos el libro; quizá una de ellas sirva para abrir el mausoleo. Tendremos que colarnos esta noche cuando Babette esté durmiendo y llevárnoslo.

—¡De acuerdo! Me gusta tu lado temerario, Lucely. Es

solo que hubiera preferido que no fuera causado por todo este lío.

—Lo sé. A mí tampoco. Quién sabe, quizás resulte algo bueno de ello.

Mientras se alejaban pedaleando de casa de Babette, Lucely sintió un peso en el estómago. Algo le decía que esto era solo el comienzo de sus problemas.

CAPÍTULO CINCO

EN APENAS UNA HORA, Lucely se había comido tres Oreos, un pepinillo, un montón de galletas y un puñado de viejas golosinas que definitivamente no debía haber comido, y aún tenía hambre.

Desde que su papá trabajaba a tiempo completo en el negocio de excursiones fantasmales o repartía volantes por la ciudad para promoverlo, a ella la dejaban usar la cocina sin supervisión… y un sándwich de queso a la plancha sonaba muy bien ahora mismo.

Sintió remordimientos mientras derretía mantequilla en una sartén de hierro fundido. A través de la ventana de la cocina podía ver un débil centelleo entre el ramaje del sauce.

—El secreto para hacer un sándwich de queso a la plancha es usar tanta mantequilla como sea posible —dijo una voz familiar a sus espaldas.

Lucely dio un brinco.

—¡Te he dicho que no me asustes de esa manera, Manny! —exclamó—. Ya le puse, probablemente una barra entera.

—Necesitas dos, como *mínimo* —sonrió Manny, saltando a la meseta para sentarse cerca de Lucely y supervisar lo que hacía.

Manny tenía quince años; o al menos los había tenido diez años atrás, cuando el accidente. De no haber fallecido, ahora sería un adulto, probablemente tendría un trabajo y hasta hijos. Sin embargo, seguía luciendo igual que en las fotos que tenían de él. En ellas salía pelado casi al rape y peinado hacia la derecha, con una argolla brillante en una oreja y unos hoyuelos profundos en la cara, que se acentuaban cuando sonreía. Ahora, sin embargo, era solo una pequeña cosa translúcida.

—Oye, Manny, ¿tienes alguna idea de qué le pasó a Mamá? —Lucely volteó el sándwich en la sartén y el olor a mantequilla derretida se esparció en el aire.

—No lo sé —dijo su primo, encogiéndose de

hombros—. Primero pensé que estaba dormida, pero es raro... Desde anoche no he sentido su energía.

A Lucely se le encogió el corazón.

—Espero que esté bien —dijo.

—Seguro está bien —sonrió Manny—. Está vieja, incluso para ser un espíritu, pero es fuerte. Apuesto a que está tomando una de esas siestas regeneradoras de Babette.

Algunos miembros de la familia de espíritus conocían a Babette de cuando vivían y otros de cuando la mujer venía a visitar a Lucely. Todos sabían quién era.

La expresión de Lucely se suavizó y una sonrisa asomó a sus labios. No obstante, cuando se sentó a comerse el sándwich, notó que Manny no parecía el mismo de siempre. Lucía normal, para ser un fantasma, pero se veía asustado.

—¿Estás bien, Manny?

El primo estaba sentado en la mesa y miraba hacia abajo.

—Todo se siente raro, prima. En el tiempo en que he estado aquí, viviendo así, he tenido momentos de añoranza por mi antigua vida, pero la mayor parte del tiempo he sido feliz, de estar cerca de la familia y de poder hablar, bromear y eso. Últimamente, sin embargo, he empezado a olvidar cosas. Cosas de cuando estaba vivo y de cómo se sentía.

Alzó la vista y Lucely notó que tenía los ojos llorosos. No solo eso: los tenía rojos.

El corazón de la niña le latió con fuerza y la respiración se le entrecortó. De su boca salió un soplo de vapor y de pronto sintió frío. Bajó la vista y vio que de los bordes del sándwich brotaban pedacitos de hielo.

—¿Qué sucede?

—No sé —dijo Manny.

El cuerpo del chico empezó a levitar, igual que el de Mamá en el cementerio. La mesa empezó a dar sacudidas, más suaves primero y después con un traqueteo como si hubiera un terremoto. Lucely se levantó y corrió hacia el otro lado de la cocina tan rápido como pudo, sin apartar los ojos de su primo.

—¡Manny, por favor, baja!

No sabía qué más decir o hacer. Estaba asustada.

—Algo malo se acerca —dijo Manny con los ojos muy abiertos—. Está llegando con la lluvia.

—¿De qué hablas? ¿Qué cosa se acerca?

Lucely sintió deseos de correr hacia su cuarto y

esconderse debajo de las sábanas, pero se quedó en su sitio y mantuvo la vista sobre Manny. Trató de serenarse, pero casi podía oler el hierro oxidado y la goma quemada que flotaba alrededor de su primo como un aura extraña y mortal.

—Manny, estás a salvo. Yo estoy aquí. Por favor, baja.

Extendió un brazo y Manny hizo lo mismo. Sus dedos se sentían fríos y frágiles, como si estuvieran hechos de porcelana. Antes de que pudieran estrecharse las manos, los ojos del chico brillaron como un relámpago y Lucely se tapó la cara con el otro brazo. Cuando abrió los ojos, estaba rodeada de árboles y un cielo sin estrellas se extendía sobre ella.

—¿Manny?

Miró alrededor, pero no había nadie. Caminó vacilante entre los arbustos y frente a ella apareció un claro con un sauce en medio. No era cualquier sauce: era *su* sauce. Miró hacia atrás, pero la casa no estaba ahí, y en lugar del jardín se vio rodeada por un verdor que crecía y florecía adonde quiera que mirara. Era como si el bosque estuviera vivo y respirara, tratando de alcanzarla. Los árboles y los matorrales formaban un pequeño seto, un bosquecillo que parecía separado del mundo. Aun así, Lucely sentía en su corazón que este lugar estaba conectado a su casa.

—¿Dónde estoy? —preguntó. Su voz sonaba tenue y asustada.

—Estás en casa —respondió una voz familiar.

—¡Manny! ¿Estás bien?

—Está bien por ahora. —La voz de Macarena se escuchó alta al principio y luego fue apagándose.

—Pero no lo estaremos si no los detienen. —Manny estaba junto a Lucely otra vez, de vuelta a su antigua forma y sin la expresión de terror que había tenido en la cocina hacía unos instantes.

—¿De qué hablas? ¿Detener a *quiénes*? —preguntó Lucely.

Manny inclinó la cabeza hacia el sauce y la niña observó como las luciérnagas volaban en círculos alrededor del árbol antes de apagarse todas a la vez.

—¿Dónde están…?

—Observa. —Tía Milagros apareció junto a ella y le puso la mano en el hombro—. No tengas miedo. Esto es de un tiempo que ya pasó.

Cuando terminó de hablar, un bramido rasgó el aire y el cielo azul se puso tan oscuro como si estuviera hecho de tinta negra. Lucely retrocedió, el terror le embargaba cada célula. Todo le parecía increíble.

De la oscuridad surgió una criatura monstruosa y sombría, tan enorme que a su lado el sauce parecía un simple arbusto. Su cuerpo y sus extremidades parecían estar compuestos de una turbia niebla blanca. En lugar de ojos y boca tenía profundos huecos negros.

Lucely estuvo a punto de gritar, pero se detuvo al sentir el firme y calmado apretón de la mano huesuda de Tía Milagros en su hombro.

El monstruo le dio una vuelta al árbol, planeando su próximo movimiento. Arañó la corteza y aulló, acercándose la mano al pecho como si se hubiera quemado. Trató de sacudir el árbol y le arrojó un pedrusco, pero una fuerza invisible repelía todos sus ataques. Finalmente empezó a correr alrededor del árbol, tomando velocidad hasta convertirse en lo que parecía ser… un huracán. El sauce se mantuvo firme, intacto en el ojo de la tormenta, mientras el monstruo crecía en tamaño y fuerza.

El viento y la lluvia azotaban alrededor de Lucely, lacerándole la piel y batiéndole el cabello; pero tanto ella como su familia fantasma se mantuvieron firmes. Lucely sabía que esto era algo que ella debía ver, y, a pesar de que luchaba contra su propio miedo y de que el viento furioso trataba de tumbarla con toda su fuerza, no cedería.

El sauce se sacudía con tanta fuerza que la niña temió que se partiera al medio, como cortado por un relámpago. Entonces una vibrante luz amarilla y naranja empezó a brotar desde dentro de la tormenta, propagándose hacia fuera hasta envolver al árbol mismo. Una legión de voces sonó a coro.

Atrás, atrás,
no te tememos.
¡Vete, bestia inmunda,
vete bien lejos!

El monstruo de niebla gritó al ser empujado contra la maleza. En medio de la lucha, una voz suave se abrió camino y envolvió a Lucely, de manera cálida y reconfortante, como su manta de lana predilecta. Era una voz que reconocería donde quiera, tan clara como una campana de iglesia, que revoloteaba y giraba en torno a ella como una pequeña cigua palmera color crema y café.

—Mamá —susurró Lucely.

Su propia voz parecía difundirse y amplificarse en la tormenta, como si fuera transportada por arte de magia.

—El espíritu de las luciérnagas ha estado aquí por siglos, mi niña, protegiendo a nuestra familia y a San Agustín de los malos espíritus que desean traer solo la destrucción. —La voz de Mamá daba vueltas alrededor de ellos, como una flecha de viento, aire y luz—. Nuestra familia es una de las únicas dos órdenes antiguas encargadas de mantener la seguridad de esta ciudad y de sus habitantes. Sin embargo, hay un nuevo peligro que se aproxima, uno que trata de atraparnos a todos, incluyendo a los vivos, y arrojarnos hacia el inframundo.

Mamá apareció ante ella, imperturbable ante los ataques del monstruo. Justo entonces, la criatura de niebla se abalanzó hacia ellas desde la maleza, mientras de su boca manaban llamas.

—¡Mamá! —gritó Lucely, pero el fuego pareció extinguirse tan pronto como alcanzó a la abuela—. No soy tan fuerte como tú. Soy solo una niña. ¿Cómo podré detener cualquier mal que se aproxime?

—No tienes que hacerlo sola —dijo Mamá, transformándose en una chispa de luz azul brillante.

La luz salió proyectada hacia arriba. Luego, con un estruendo, el espíritu de Mamá, ahora del tamaño del sauce, aterrizó junto a Lucely, con los pies separados, llevando pantuflas y agrietando la tierra con el bastón. El cabello gris batía alrededor del rostro arrugado de Mamá Teresa como las olas del océano. Lucía feroz, terrible y poderosa. El monstruo de niebla se ocultó tras un arbusto, reducido a cenizas, y la abuela flotó hasta Lucely.

—No tienes que hacerlo sola porque estamos contigo, siempre. —Pasó un dedo gigante por la mejilla de la niña y sonrió—. *Yo* estoy contigo siempre. —Recobró su tamaño habitual y le puso una mano en el corazón a su nieta—. Aquí.

Los árboles que rodeaban a Lucely empezaron a fundirse unos con otros hasta que el entorno pareció un cuadro de Van Gogh. Un segundo después, la niña estaba de vuelta en la cocina, donde su primo yacía inmóvil en el suelo.

—¡Manny!

Corrió hacia él y se arrodilló a su lado. Trató de sentirle el pulso y recordó que hacía diez años no tenía, así que solo podía quedarse sentada y esperar.

Pasaron cinco minutos y Manny no despertaba. Se le llenaron los ojos de lágrimas al pensar que había perdido a su primo para siempre.

Manny gimió al tratar de moverse.

—Eso fue extraño —dijo.

Lucely se apresuró a atenderlo.

—¿Estás bien? ¿Viste… tú también viste a ese monstruo de niebla?

—Sí, pero no sé cómo. O por qué. Yo solo estaba furioso. Como si me corriera pura ira por las venas. —Manny se incorporó; todavía le temblaban las manos—. Era como si algo me estuviera controlando. Lo siento, Luce. No quise asustarte.

—Solo me importa que estés bien. —Rodeó con los brazos a su primo y lo estrechó fuerte—. Tú nunca podrás asustarme de verdad, Manny, por muchas cosas raras que hagas.

El chico se rio y la apartó, haciéndose el ofendido.

—¿Qué quiso decir Mamá cuando dijo que nuestra familia es "una de las dos antiguas órdenes" que protegen a San Agustín? ¿Por qué sucede esto ahora? —preguntó la niña.

—No lo sé, Luce, pero ya escuchaste a Mamá. Algo malo se acerca.

La expresión de sus ojos era de temor, la misma que había tenido Mamá justo antes de perder el control.

Lucely se estremeció. Aunque nunca lo admitiría ante Manny, lo que fuese que estaba pasando la aterrorizaba, y eso la avergonzaba.

—No te preocupes, primito. Voy a encontrar la manera de arreglarlo.

CAPÍTULO SEIS

LUCELY MIRÓ EL RELOJ setecientas veces mientras esperaba en la esquina. Eran las 9:52 p.m. y Syd no acababa de aparecer. Se mordió el labio, preguntándose si la habían atrapado escapándose, pero Syd era más lista que cualquier adulto que ella conociera. Si no la habían atrapado a ella, ¿cómo iban a atrapar a su amiga?

Pasaron unos minutos más y, a pesar de la ligera brisa, empezó a sudar. Por suerte no estaba sola; su prima Macarena revoloteaba dentro de un frasco de conserva atado a la bicicleta. Cuando les contó su plan a las luciérnagas, Macarena enseguida estuvo dispuesta a unirse a la escapada nocturna. Ni siquiera siendo fantasma quería perderse ese tipo de cosas.

El cementerio estaba cerca, a apenas unos minutos caminando, pero la idea de ir sin Syd la asustaba, especialmente después de lo que había visto. Además, sin la llave no podía entrar al mausoleo de Anastasia.

Frunció el entrecejo, tratando de pensar en un plan de emergencia, cuando la bicicleta de Syd finalmente chirrió al frenar junto a ella.

—¿Por qué te demoraste tanto? —preguntó Lucely.

—Mi papá estaba ensayando para un concierto, así que tardó más de lo normal en ir a acostarse. Mi mamá, por su parte, estaba roncando desde antes de que papá agarrara el saxofón —bromeó Syd.

—Vamos, antes de que sea demasiado tarde. —Lucely resopló—. No quiero toparme con Babette cuando le dé su ataque nocturno de hambre.

Una lámpara solitaria iluminaba la entrada de la caleta donde se alzaba la casa de Babette, apartada del resto del mundo. En la oscuridad parecía un lugar completamente distinto. Junto a un árbol habían clavado un letrero que decía AQUÍ VIVE UNA BRUJA, con las palabras “Baratijas de Babette” garabateadas debajo. Detrás estaba la casa, en medio del estanque pantanoso, como una sombra deforme que estiraba el cuello para fisgonear por encima del bosque que la rodeaba. Era como si una película de horror en blanco y negro hubiera cobrado vida, salvo por una mancha solitaria de color: la puerta púrpura del edificio.

—Odio esto —dijo Lucely—. Es mucho más espeluznante de noche.

—Vamos. Es solo la casa de Babette.

La voz de Syd expresaba confianza, pero Lucely sabía, por la forma en que se tocaba las trenzas, que ella también estaba asustada.

—Vamos a tener que ir por el puentecito —dijo.

—¡De ninguna manera! —Syd le lanzó una mirada horrorizada—. No voy a cruzar por esa cosa de noche.

—Mira, vamos a tener que colarnos en la casa de Babette de una manera u otra para sacar la llave del mausoleo. Si tomamos el bote, nos descubrirá sin remedio. Eso, si no nos volcamos y nos *ahogamos* antes en la oscuridad de la noche. Además, ese estanque me da escalofríos.

Syd alzó un dedo y abrió la boca para argumentar, pero Lucely la interrumpió.

—Y, si tuviéramos que salir corriendo, piensa en que tendríamos que volver a remar para que Babette no note que el bote está en la orilla incorrecta. Sería mucho más simple escapar por la pasarela.

—Si nos caemos al agua le diré a Babette que tú me hipnotizaste.

—Genial. —Lucely sonrió, triunfante. No era fácil ganarle a Syd.

—Yo no sé por qué los mausoleos necesitan cerraduras. No creo que la gente se esté *muriendo* por entrar.

Lucely negó con la cabeza y esbozó una sonrisa.

—Eso te quedó muy bueno.

Recostaron las bicicletas a un árbol y se acercaron a la pasarela.

—Tú primero —susurró Syd.

—Me *duele* que me sacrifiques de esta manera. Pensé que éramos amigas.

—Fue idea tuya venir por aquí —protestó Syd en voz baja.

—Al menos crucemos juntas —dijo Lucely.

—Genial. Estás en deuda conmigo, espero que lo sepas.

Se agarraron de la mano y subieron a la pasarela.

—Supongo que ha llegado mi fin —murmuró Syd.

A pesar de que la pasarela era muy vieja y crujía, la cruzaron sin ningún incidente.

—¿Viste? —dijo Lucely, soltando un suspiro de alivio.

—Sí, sí. Vamos antes de que los sentidos de bruja de Babette la despierten.

Syd encontró una copia de la llave de la casa debajo de la estatuilla de un sapo que Babette había hechizado para que pareciera real y, por desgracia, también se sentía real.

Una vez dentro, corrieron hasta la biblioteca. Lucely rezó en silencio para que la casa estuviera tan cansada esa noche que no pudiera jugarles una mala pasada. La luz del celular de Syd se reflejó en un espejo, provocándoles un sobresalto al pensar que las habían descubierto.

Un *miau* muy bajito llegó desde el pasillo y las niñas se voltearon al mismo tiempo.

—Es Chunk —susurró Lucely—. Ven, linda.

La niña extendió la mano y la gata saltó hacia ella.

—¡Miau!

—Solo estamos buscando una llave, Chunk —dijo Syd.

A pesar de que Chunk era una gata y no podía entender lo que ellas decían, Lucely y Syd siempre le hablaban como si fuera un ser humano.

La gata cayó teatralmente sobre los pies de Lucely y miró hacia arriba.

—Miau. —Esta vez su lamento parecía una advertencia.

—No tenemos tiempo para tus maullidos de mal agüero, Chunk —dijo Syd.

Lucely trató de apartarla, pero la gata se le había enroscado a la pierna.

—No puedo moverme —dijo.

—Entretenla. Yo encontraré las llaves —dijo Syd, doblando por una esquina.

Chunk comenzó a maullar y Lucely hizo lo posible por calmarla.

—Apúrate, Syd —rogó, con la esperanza de que Babette tuviera el sueño profundo.

El sudor le corría por la frente y el estómago le daba brincos.

Al poco rato regresó Syd.

—No pude encontrar las llaves. Parece que Babette las cambió de lugar.

Chunk salió del cuarto, al parecer ya aburrida de las niñas, probablemente en busca de una caja para meterse a dormir. Syd arqueó una ceja.

—Me pareció oír pasos arriba. Tenemos que irnos antes de que Babette nos vea.

Agarró a Lucely de la mano y ambas salieron por la puerta con el mayor sigilo posible.

La puerta se abrió y Babette salió al portal, proyectando una elegante sombra. Lucely y Syd corrieron como flechas y se ocultaron detrás de un arbusto para recuperar el aliento.

—Quienquiera que seas, no sabes con quién te estás metiendo —amenazó Babette, y el viento desplegó su voz como una orden y una maldición—. Babette Faires será tu espina clavada.

El jardín cobró vida y las enredaderas espinosas comenzaron a azotar y golpear el aire alrededor de las niñas. El sonido de la puerta al cerrarse de golpe las hizo salir de detrás del arbusto y atravesar corriendo la pasarela. Lucely nunca había corrido tan rápido en su vida.

Cuando alcanzaron el otro lado de la caleta, ambas estaban temblando, sin aliento.

—Por poco nos *morimos* —dijo Syd.

—Y todo por *nada* —respondió Lucely.

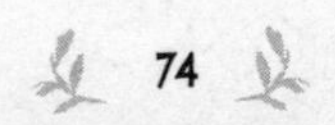

—No del todo —sonrió Syd con satisfacción, metiendo la mano en el bolsillo y sacando un manijo grande de llaves maestras oxidadas.

—Pensé que no las habías encontrado...

—Lo dije porque Chunk se comportaba de un modo raro. A veces juraría que es espía de Babette. En cualquier caso, es mejor precaver que tener que lamentar. Vámonos antes de que cambie de opinión sobre molestar a los muertos.

Cuando llegaron al cementerio, la luna estaba en el cenit, lanzando un misterioso resplandor sobre el mausoleo de la familia McMaster.

—Yo no lo voy a abrir —dijo Syd, y le dio las llaves a Lucely.

—¿Primero el puentecito y ahora esto? Empiezo a cuestionarme nuestra amistad. —Lucely negó con la cabeza.

Sobre el antiguo mármol había un letrero, al parecer en latín. Las niñas rezaron por que no fuera un maleficio. Lucely probó varias llaves antes de dar con la correcta, y al abrir la puerta, esta hizo un sonido que le recordó a su tío Fernando tratando de levantarse del sillón. Dentro del mausoleo hacía más fresco que afuera, en el húmedo calor de la Florida, donde incluso de noche el aire era casi insoportable. Tan pronto entraron, un olor acre como de calcetines sucios y queso mohoso se le metió a Lucely por la nariz, y tuvo que contener la respiración para no vomitar.

La luz de los celulares se reflejó en las paredes de mármol e iluminó una hilera de lápidas cuadradas en la pared del fondo, cada una con el nombre de un difunto de la familia.

—Bueno, entonces, haz la cosa. —Syd agitó las manos.

—¿Qué *cosa*?

—¡No sé! Encuentra el ataúd de Anastasia y mira dentro. ¡Esa era tu idea!

—¡Ni loca! ¡No voy a meter la mano en un ataúd!

—Entonces, ¿para que vinimos hasta aquí?

Lucely suspiró. Sabía que Syd tenía razón; si había alguna esperanza de encontrar las páginas perdidas, tendrían que buscar por *todas partes*.

Treparon juntas a la tumba de Anastasia y empujaron la pesada losa a un lado, justo lo suficiente para que Lucely alcanzara a recorrer con las manos las paredes interiores del ataúd. El liso mármol se sentía como seda, pero de pronto sus dedos rozaron una piedra rugosa.

—Espera, es posible que haya encontrado algo —dijo, sin aliento.

Syd alumbró lo mejor que pudo el espacio donde Lucely había metido la mano.

—Realmente no veo nada.

—Déjame ver si puedo zafar lo que sea de la pared —dijo Lucely, metiendo el brazo.

Haló la áspera piedra, lo que provocó una nube de polvo. Ambas niñas retrocedieron, agitando las manos y tosiendo.

—Qué asco, polvo de muertos —dijo Syd.

Cuando el aire al fin se aclaró, pudieron ver que donde había estado la piedra asomaba ahora un pedazo de papel enrollado. Las niñas se miraron entre sí con la boca abierta.

—¿Será…?

Antes de que Syd pudiera terminar, Lucely ya había agarrado el papel y se había sentado en el banco de mármol más próximo.

Syd se le unió y mantuvo la luz en alto mientras Lucely desenrollaba el pergamino con delicadeza.

—Creo que está en latín o algo parecido —dijo esta, recorriendo con los ojos los extraños símbolos y palabras. Le dio vuelta a la hoja, pero no había nada del otro lado—. Quizá podríamos tratar de traducirlo con nuestros celulares.

Tan pronto como dijo estas palabras, la inscripción

comenzó a transformarse. Como si una nubecita pasara sobre el papel, dejándolo despejado, las palabras antes ilegibles ahora cobraban sentido.

—¡Vaya! —dijo Syd.

—Conjuro para despertar a los durmientes —leyó Lucely, y tragó en seco.

—¿Crees que sea una de las páginas que faltan en el libro de hechizos?

Lucely extrajo el libro de su chaqueta, lo abrió por el final y comparó el pedazo de papel con los bordes rotos del mismo. Encajaba a la perfección.

El trozo de papel era justo lo que estaban buscando. Lucely miró a Syd, quien se aclaró la garganta como respuesta.

—Espera. Tengo una idea. Apunta con la luz al suelo.

Syd sacó un pedazo de tiza blanca de su mochila y dibujó un enorme pentagrama. Sabía dibujar un pentagrama perfecto. Cuando terminó, se sentaron en el centro, sintiendo el cemento frío debajo de ellas.

Lucely sintió un escalofrío.

—Quizá no sea tan buena idea. Quiero decir, ¿y si pasa algo malo?

—Luce, es esto o nada —resopló Syd—. Tú quieres

salvar a tus luciérnagas, ¿verdad? No podemos acobardarnos ahora.

Lucely se quedó pensando. No se le ocurría otra cosa, especialmente ahora que tenían una posible respuesta en las manos. Asintió mirando a su amiga y rezó en silencio para que las cosas salieran bien.

—Hagámoslo juntas. —Syd tomó a Lucely de la mano y leyó el texto en voz alta.

Lavanda, lirio, espliego y jacinto,
convoco a los espíritus a que entren al recinto...

Hicieron una pausa y miraron a su alrededor. El miedo de Lucely había aumentado gradualmente desde que saliera de su casa, y ahora era petrificante.

Descompuestos, putrefactos,
a la sombra de los árboles
llamo a los espíritus, que salgan de los mármoles.

Lucely contuvo el aliento; las manos de Syd apretaban las suyas.

Esperaron un minuto, luego otro. Una fuerte brisa

atravesó el mausoleo, helando a Lucely hasta los huesos. Aparte de eso, no pareció suceder nada particularmente *mágico*.

—Prueba con Macarena —dijo Syd.

Lucely abrió el pequeño frasco de su mochila y dio un golpecito suave en el cristal.

—¿Maca?

Macarena voló fuera del frasco y adoptó su forma humana.

—¿Todo bien, Luce? —preguntó entre bostezos.

—¿Sientes que haya cambiado algo con el espíritu de Mamá? —titubeó Lucely.

La prima cerró los ojos y respiró profundo, exhalando el aire lentamente.

—Lo siento, prima. Todo sigue igual que antes.

Lucely suspiró, conteniendo las lágrimas. El conjuro para despertar a los muertos no había logrado sanar a Mamá ni al resto de las luciérnagas.

—Gracias, prima. Ya puedes volverte a dormir.

Macarena se encogió de hombros, volvió a transformarse en una luciérnaga y se posó en el fondo del frasco.

—¡Qué raro! No había visto esto antes —dijo Syd,

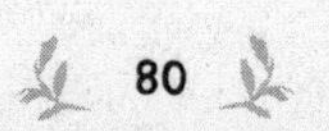

señalando dos letras que habían aparecido en el papel: E.B.

—¿Qué crees que signifiquen? —preguntó Lucely.

Syd se encogió de hombros.

—Serán las iniciales de la bruja que creó el hechizo.

—Bueno, quienquiera que haya sido, no era muy buena haciendo magia —dijo Lucely, guardando el papel en el libro de conjuros.

Se quedaron un rato más, por si aparecía alguna otra señal de que el conjuro hubiese funcionado. Cuando fue obvio que nada pasaría, salieron del mausoleo.

Caminaban derrotadas en dirección al lugar donde habían dejado las bicicletas cuando escucharon un ruido a sus espaldas.

—Agáchate —susurró Lucely, escondiéndose detrás de una lápida.

Una figura sombría atravesó el cementerio en dirección al mausoleo de donde las niñas acababan de salir, al parecer ajena a la presencia de ambas.

—¿Es… el alcalde Anderson? —preguntó Syd.

La figura se volvió más clara a la luz de la luna, dejando ver a un hombre exageradamente alto, encorvado y de bigote espeso. Realmente se *parecía* al alcalde.

—¿Qué hace el alcalde merodeando por el cementerio en medio de la noche? —preguntó Syd.

Lucely le lanzó una mirada lúgubre y ambas volvieron la atención nuevamente a la entrada del mausoleo, esperando a que el hombre saliera.

Salió unos instantes después, pero algo había cambiado en él. Parecía flotar en vez de caminar, aunque con movimientos bruscos e inestables. Miró hacia el lugar donde se ocultaban las niñas, como si pudiera verlas en la oscuridad.

Lucely contuvo un grito al ver los ojos del alcalde, que ahora brillaban con un color verde sobrenatural.

CAPÍTULO SIETE

A LA MAÑANA SIGUIENTE, Lucely se esforzó por mantener los ojos abiertos en la biblioteca de la escuela mientras esperaba por Syd. La noche anterior había llegado a casa pasada la una de la madrugada, y le agradecía al santo que la estuviese cuidando por que su padre no se hubiera despertado. Lo poco que logró dormir fue interrumpido por pesadillas en las que aparecían cadáveres que salían de sus tumbas, las palabras del conjuro que se repetían en su mente y el brillo verde enfermizo en los ojos del alcalde Anderson.

Había pasado el día como en una neblina, bostezando y frotándose los ojos. Hasta probó mojarse la cara con agua fría en el baño, pero eso no pareció servir de nada.

Lo que más deseaba era llegar a casa y dormir la siesta más larga en la historia de las siestas. Sin embargo, después de lo que había visto en el cementerio, estaba aún más decidida a encontrar algo que ayudara a las luciérnagas y a su papá.

Algunos de sus compañeros estaban jugando cerca de ella. Tilly Maxwell, quien parecía odiarla por alguna misteriosa razón, señaló sus zapatillas y le susurró algo a la niña que tenía al lado. Ambas estallaron en risas y se alejaron caminando.

Sus zapatillas habían sido blancas alguna vez, pero aunque las había restregado con un cepillo de dientes viejo y había lavado los cordones, se estaban cayendo a pedazos. Una de ellas incluso tenía un hueco que por la mañana no estaba ahí. Lucely ocultó la cara tras un libro, deseando que la tierra se la tragara.

Justo cuando estaba a punto de dormirse, utilizando el libro de almohada, entró Syd dando zancadas y se sentó con un resoplido.

—Lo siento, lo siento, lo siento. El ensayo de la banda se extendió. A Andy se le volvió a trabar el labio en la tuba.

Lucely le respondió con un bostezo.

—¡Despierta, Luce! Esto te va a interesar. —Syd sacó

de su mochila el libro de Babette, *Historia de la magia y el ocultismo*, y lo abrió en una página que tenía marcada—. Estaba hojeándolo en el salón de estudio cuando di con este pasaje.

La niña comenzó a leer en voz alta. Lucely escuchó con atención.

—"Las brujas moradas, o el Aquelarre Morado, fueron un famoso aquelarre de Logroño, en España. Durante la Inquisición española, Alanza, la miembro más vieja, fue acusada de ser una bruja. El aquelarre trató de defenderse, pero el pueblo la persiguió, así que la secta huyó a la pequeña ciudad costera de San Augustín, en la Florida. Allí sus miembros se dedicaron a cuidar de los enfermos y a ayudar a traer nuevas vidas al mundo, así como a proteger a la ciudad de...".

Syd miró a su amiga con los ojos muy abiertos.

—¡Sigue, Syd! —exclamó Lucely, ansiosa.

—"Así como a proteger a la ciudad de espíritus peligrosos y malignos".

Lucely se desplomó en la silla. Mamá había mencionado algo acerca de dos viejas órdenes que protegían a San Agustín. ¿Acaso una de ellas sería la de las brujas moradas?

Syd continuó leyendo.

—"Muchos ciudadanos creían que el Aquelarre Morado tenía un libro de magia lleno de maleficios y encantamientos, y otros creían que esta era la fuente de su poder y lo que protegía a la ciudad. Se dice que el libro contiene los más poderosos conjuros mágicos para curar, hacer que alguien se enamore y... resucitar a los muertos".

Hizo una pausa y luego siguió.

—"La última información que se tiene sobre la existencia de este singular libro apunta a que está enterrado en el cementerio Tolomato, pero hasta hoy no ha sido encontrado".

—¡Dios mío! —exclamó Lucely cuando Syd cerró el libro—. ¿Tú crees...?

—*Tiene* que ser —dijo Syd—. Babette dijo que había encontrado este libro en el cementerio, ¿recuerdas? ¡Quizás encontró el de conjuros allí también!

—Pero ya *probamos* uno de los hechizos y no funcionó.

—Eso no significa que no haya otros conjuros ocultos por la ciudad. Si seguimos buscando, estoy segura de que encontraremos más pistas que nos llevarán en la dirección correcta.

—¡Pero no tenemos tiempo para andar buscando a ciegas, Syd! Nos puede llevar semanas, meses o incluso *años* encontrar el conjuro que necesitamos. Y no sé cuánto puedan resistir mis luciérnagas.

Syd la abrazó, y los ojos de Lucely se humedecieron.

—Si alguien puede encontrar ese hechizo, somos nosotras, Luce. Con magia o sin ella, siempre estaré a tu lado. Somos un equipo.

Lucely sabía que Syd tenía razón. Si tenían alguna posibilidad de traer a Mamá de vuelta, de asegurarse de que su familia de espíritus estuviera a salvo, no les quedaba más remedio que localizar las páginas que faltaban.

—Tienes razón. Tenemos que encontrar el conjuro —dijo Lucely, más decidida que nunca—. Pero tú sabes que no podemos hacerlo solas. No te va a gustar, pero...

Syd le lanzó una mirada inquisitiva.

—Babette es la única que nos puede ayudar. Probablemente guarde un conocimiento enciclopédico de magia en el cabello o algo por el estilo.

Syd cruzó los brazos.

—Mi respuesta sigue siendo la misma: de ninguna manera. A no ser que quieras ponerte a desempolvar libros como castigo por andar metiéndonos donde no nos llaman.

Lucely iba a comenzar a rogarle a su amiga que la ayudara cuando las ventanas de la biblioteca se abrieron violenta y estrepitosamente, haciendo volar los papeles y provocando que las niñas soltaran un grito al unísono. Esa tarde, cuando Lucely llegó a la biblioteca, no se veía ni una nube, pero ahora el cielo estaba encapotado con nubarrones amenazantes, y el viento y la lluvia entraban por las ventanas abiertas de la biblioteca produciendo más revuelo que Tía Milagros si alguien le desordenaba la casa.

A Lucely se le erizaron los pelos de los brazos. Algo no andaba bien.

Cayó al suelo jadeando, mientras el recuerdo del monstruo de niebla que echaba fuego la consumía. "Algo malo se acerca. Está llegando con la lluvia", había dicho su primo Manny.

El recuerdo se marchó con la misma rapidez con la que surgió. Lentamente, volvió a la realidad, y tuvo la sensación de que la habían halado desde las profundidades oceánicas hasta la superficie. En el momento en que enfocó la cara de Syd, supo por la expresión de esta que, fuera lo que fuese que había pasado, la había aterrorizado.

El Sr. Castañeda, el bibliotecario de la escuela, llegó corriendo para ver qué había pasado.

—¿Están bien, niñas? Nunca había visto una tormenta como esta.

Syd miró al hombre y soltó una risita nerviosa.

—Estamos bien, Sr. Castañeda. Es solo un poco de viento y lluvia.

El bibliotecario intentó inútilmente cerrar las ventanas, pero solo consiguió empaparse. Una neblina penetró en la biblioteca y avanzó hacia las niñas como un zorro al acecho. Solo Lucely y Syd parecieron notarla.

—Lucely Luna —susurró una voz inquietante, apenas apagada por al aullido del viento.

—¿Qué fue eso? ¿Quién habla? —La pregunta de Syd no halló respuesta.

—Deberíamos irnos de aquí —gritó Lucely.

El Sr. Castañeda desistió de intentar cerrar las ventanas.

—Voy a traer al conserje, quizás él pueda ayudarme —dijo—. Ustedes, niñas, no deberían salir con esta tormenta. Mejor esperen aquí.

Cuando el bibliotecario se hubo marchado, escucharon unos pasos por detrás de las estanterías.

—Eso no es gracioso. ¡No te escondas y da la cara! —exclamó Syd, y blandió un enorme libro sobre su cabeza.

Lucely se aferró a la mochila de su amiga mientras avanzaban en dirección al ruido.

—¿Hola? —gritó Syd, y esta vez algo respondió.

Un sutil coro de lamentos lanzó su eco por toda la sala, haciendo vibrar el aire a su alrededor. Lucely haló la mochila de Syd, y esta lanzó el libro al aire, gritando.

—¡Vámonos! —dijo Lucely.

Echaron a correr en el justo momento en que uno de los libreros se venía abajo en el mismo lugar donde habían estado paradas.

Unas figuras translúcidas se arrastraron por el suelo, extendiendo los brazos hacia ellas con movimientos bruscos y sobrenaturales. No se parecían en nada a los espíritus con los que había crecido Lucely. Parecían versiones en miniatura del monstruo de niebla que echaba fuego, con enormes agujeros negros donde deberían estar los ojos y la boca.

—¡Corre, Syd! —Lucely agarró la mano de su amiga y corrió sin resuello.

—¿Qué son esas cosas? —La voz de Syd tenía un dejo de incredulidad.

El aire era gélido y Lucely sintió que se erizaba. Un olor a ratas muertas y tierra podrida invadía la sala a medida que los fantasmas trataban de acorralarlas.

—¿Qué hacemos?

—Por aquí. —Syd haló de ella y la condujo hacia un arco bajo que llevaba a la sección donde los niños de preescolar solían leer.

A Lucely le dolían las piernas. Estaban corriendo en círculos, tratando de esquivar a los fantasmas, pero no se acercaban ni un poquito a la salida.

—¡LUCELY LUNA! —retumbaron las voces desde todos los rincones de la biblioteca.

Lucely haló a Syd hacia un nicho entre libreros.

—¿Cómo saben tu nombre? —preguntó Syd, visiblemente aterrorizada.

—Ahora mismo prefiero no pensar en eso —dijo Lucely, temblando de miedo—. Tenemos que hallar un modo de distraerlos para escapar.

—¿Crees que podamos lograrlo?

—No lo sé, pero no nos queda más remedio que intentarlo. Tengo una idea.

Le explicó a su amiga en qué consistía el plan, tras lo cual salió, tratando de no hacer el menor ruido, hasta alcanzar una fila de viejas computadoras que usaban en la clase de diseño. Corrió lo más rápido que pudo hasta el otro extremo de la hilera y accionó el botón de encendido de cada una de las computadoras, mientras Syd hacía lo mismo del otro lado de la biblioteca.

Lucely miró en derredor para asegurarse de que no hubiera moros en la costa. Podía oír a los fantasmas gimiendo en alguna parte cerca de la sección de ciencia ficción, arrastrándose por el suelo. La niña miró hacia el otro extremo de la biblioteca, a su izquierda, donde Syd esperaba su señal. Asintió, y ambas se lanzaron a correr a toda velocidad en dirección a la puerta, con la esperanza de que el plan funcionara. Lucely casi alcanzaba el último librero cuando uno de los monstruos se materializó frente a ella, cerrándole el paso. La niña dio un frenazo, petrificada por el miedo.

—Lucelyyyy —ululó el monstruo—, ven conmiiiigo...

No podía moverse. No podía gritar. Solamente podía cerrar los ojos y rezar por que la dejaran salir de allí con vida.

El espíritu le gruñó con una horrible expresión de júbilo en el rostro. Sus fauces abiertas en el lugar donde debía estar la boca mostraban un terrible remedo de sonrisa. Entonces, con una voz de pesadilla, el fantasma comenzó a cantar:

Duérmase, mi niña. Duérmase, mi amor…

A Lucely se le ahogó un grito en la garganta y sintió que el monstruo le arrancaba el alma al entonar la canción de cuna que solía cantarle Mamá. Comenzaron a cerrársele los ojos. A pesar del miedo que embargaba su corazón, sentía que se dejaba llevar y pronto estaría en las garras del monstruo.

—¡LUCELY! —El grito de Syd atravesó la niebla justo cuando las computadoras terminaron de encenderse y las notas del intro de Windows estallaron en la biblioteca a todo volumen.

Lucely salió del trance, aún en un estupor. El monstruo que momentos antes había estado succionándole la vida voló hacia el centro de la sala, donde la horda de espíritus malignos descendía sobre las computadoras como un tornado, en una ráfaga de aullidos y de niebla.

Lucely corrió hasta la puerta, donde Syd la esperaba, y juntas salieron bajo la lluvia, agarraron sus bicicletas y se alejaron pedaleando a toda prisa. Cuando finalmente se detuvieron, habían cesado el viento y la lluvia. Syd se bajó de la bicicleta y se tumbó sobre la hierba sin importarle que estuviera mojada. De todos modos, las dos estaban completamente empapadas.

—¿Qué… acaba de… suceder? —preguntó, tratando de recobrar el aliento.

—Por poco nos poseen los espíritus, ¡*eso* fue lo que pasó! Y creo que uno de ellos estaba tratando de darme una especie de *beso del dementor* —dijo Lucely, tratando de no estallar en llanto—. Syd, esto es algo malo, muy malo. Cualquier cosa que haya pasado, sea lo que sea, estoy casi segura de que fue por nuestra culpa.

CAPÍTULO OCHO

—¡MAMÁ, DESPIERTA! —dijo Lucely, sosteniendo el frasco de su abuela en las manos.

Examinó a la diminuta luciérnaga, esperando algún tipo de señal, pero Mamá no se movía, ni siquiera agitaba ya sus alas.

Lucely estaba sentada al pie del sauce, sintiéndose derrotada. Absolutamente todo estaba patas arriba. Iban a perder la casa, Mamá se había… ido y era posible que Syd y ella hubieran provocado accidentalmente la aparición de esos espectros malignos en la biblioteca. Se cubrió la cara con las manos y empezó a llorar. Nunca se había sentido tan sola.

—¿Y esa lloradera?

Una voz chillona descendió desde una de las ramas, aumentando en intensidad a medida que se acercaba.

—¿Qué te pasa?

Tía Milagros se sentó junto a Lucely, con expresión molesta. No era del tipo de tías que se sientan en la hierba a conversar. Sus pasatiempos eran más del tipo de chismorreo de barrio, siempre sentada en una mecedora o espiando detrás de las persianas, metiendo las narices en todo, cuando no estaba limpiando. Sin embargo, hacía los mejores pastelitos rellenos con carne y huevos revueltos, así que tan mala no era.

—¿Tú sabes qué le pasa a Mamá? —Lucely se secó los ojos y suspiró.

Tía Milagros siempre tenía el ceño fruncido, lo cual solo acentuaba los rolos y la máscara facial que llevaba cuando falleció, y que ahora eran parte de su aspecto permanente. No obstante, a la pregunta de Lucely su cara se suavizó.

—No estoy segura —suspiró—. Nunca vi pasar esto antes, ni cuando era joven.

Lucely titubeó. No estaba segura de si debía hablarle del conjuro que ella y Syd habían hallado en el cementerio, pero se armó de coraje y se lo contó todo.

—Solo tratábamos de ayudar. ¿Crees que hayamos empeorado las cosas?

Tía Milagros le agarró la mano.

—No, mija. No sé lo que está pasando, pero sé que ningún niño es capaz de esta… brujería. Esto es magia negra. La tormenta está trayendo algo consigo, algo malo. Cada día lo sentimos crecer con más fuerza. Y Mamá no es la única afectada; yo lo siento en el aire, que pesa sobre mis huesos, sobre todos nuestros huesos, como si nos comprimiera.

—Manny —dijo Lucely, recordando la crisis de su primo y la aterradora visión que tuvo después.

—Manny, Mamá, Tío Elido, yo. Todos hemos estado teniendo pesadillas. —La voz de Tía Milagros sonaba asustada y débil.

Lucely jadeó. A pesar del sofocante calor, un escalofrío se apoderó de sus extremidades.

—Es como si reviviéramos nuestras propias muertes y todo lo que vino después, todo el sufrimiento que nos ahorramos al cruzar al otro lado, todo el dolor y las lágrimas de nuestra familia y nuestros seres queridos. —Tía Milagros agarró su relicario, que Lucely sabía que contenía las fotos de sus hijos y su esposo, que aún vivían en

Nueva York—. Morir no duele, Lucely, es algo suave. Lo que duele es ver llorar a los que amaste en vida. Eso es suficiente para romperle a alguien el corazón, incluso uno tan duro como el mío.

Lucely abrazó a su tía.

—No sé qué hacer, cómo ayudar.

Su mundo parecía desmoronarse como una galleta vieja que se pasa toda la semana olvidada en un bolsillo. ¿Cómo podría arreglarlo? ¿Por dónde debería empezar?

—Hablaré con los demás a ver si se les ocurre alguna idea —dijo Tía Milagros—. Los Luna no somos de los que se rinden. Tienes el espíritu de tu padre y de todos nosotros. Tú eres la única que puede parar esto, Lucely. Confiamos en ti.

CAPÍTULO NUEVE

LUCELY EVITABA LOS AUTOBUSES siempre que podía, pues el material que cubría los asientos olía a sudor y plástico quemado, pero la excursión al ayuntamiento era la mejor oportunidad de espiar al alcalde Anderson y ver en qué andaba metido. Estaba segura de haberlo visto aquella noche en el cementerio. Tenía que averiguar si estaba vinculado con los fantasmas de alguna manera.

Syd le había guardado el asiento de la ventanilla porque sabía cuánto le desagradaba montar en autobús.

—¿Lista para convertirte en espía? —susurró Syd, moviendo las cejas arriba y abajo.

—Sí —sonrió Lucely—. Anoche tomé la grabadora de

mi papá de su cómoda. Por suerte duerme como una roca.

Durante todo el trayecto fueron repasando el plan en voz baja.

Caía un tremendo aguacero cuando la clase salió del autobús. Todos los niños llevaban impermeables amarillos y parecían patitos siguiendo al Sr. López, quien les repasaba las reglas que debían cumplir. Una de ellas era que cada niño fuera con un compañero para evitar que se alejaran del grupo por cualquier razón.

Lucely no tenía ningún problema con el sistema de parejas, pues ella y Syd lo seguían hasta cuando no era necesario. Lo de no alejarse del grupo ya era otra cosa. La niña le lanzó una mirada cómplice a Syd y ambas se quedaron rezagadas cerca de la ayudante. La Srta. Stein era bastante agradable, pero también tenía como noventa y ocho años, por lo que era más fácil escapársele a ella que al Sr. López.

El ayuntamiento era un edificio extravagante con una fuente gigante y jardines perfectamente cuidados en la entrada. A Lucely le recordaba las fotos que había visto de la arquitectura española con sus techos de terracota.

Siguieron a la clase durante una hora, asintiendo todo el tiempo y simulando estar interesadas en la rica historia de la ciudad, pero realmente pensaban en la mejor manera de subir a las oficinas sin ser descubiertas. El Sr. López no volvería a contar a todos los alumnos hasta la hora del almuerzo, y luego terminarían la excursión con un encuentro con el alcalde, justo antes de regresar a sus casas. Si querían obtener alguna información sustanciosa, necesitarían grabar durante unas cuantas horas. Tenían que hacer algo de inmediato.

—¡Hora de ir al baño! —dijo en voz alta el Sr. López, y Lucely pensó que esa podría ser su única oportunidad.

—Bien —le susurró Syd—. El profesor volverá a pasar lista cuando todos salgan del baño. Entonces nos escaparemos.

—Comprendido —dijo Syd.

Esperaron a que sus compañeros fueran al baño y regresaran a la fila. El Sr. López contó a los estudiantes y reanudaron la marcha. Justo cuando pasaban junto a las escaleras que conducían a la oficina del alcalde, Lucely y Syd se escondieron en el armario del conserje. Observaron por una hendija, cruzando los dedos para que no las descubrieran. La Srta. Stein se detuvo un momento, visiblemente confundida, mas enseguida se encogió de hombros y continuó.

—Por un pelo. —Lucely respiró hondo.

—Una vez más hemos evitado la ira de la Srta. Stein.

—¡Dios no permita que nos teja un cálido suéter!

Syd rio y le puso una mano a Lucely en el hombro.

—Tienes que esforzarte un poco más con tus chistes, Luce.

Ambas rieron mientras subían corriendo la escalera rumbo a la oficina del alcalde. Lucely ni siquiera sabía si el hombre estaría allí, pero esta parecía ser la única oportunidad de averiguar *cómo* estaba involucrado antes de que fuera demasiado tarde.

A través de las ventanas se veían unas palmeras que se bamboleaban amenazando con quebrarse por el empuje del viento, que aullaba con la furia de la tormenta. Lucely se frotó los brazos. El aire acondicionado estaba a todo dar y, como le había caído el aguacero encima, se sentía helada. Estaba harta de la lluvia.

Syd saludaba con la cabeza y les sonreía a todos los adultos con los que se cruzaban por el pasillo, tratando de actuar con naturalidad. Aquellos, por su parte, probablemente pensaran que las niñas eran las hijas de algún empleado, pues nadie las detuvo para preguntarles qué hacían allí.

La oficina del alcalde estaba al final, entre dos helechos gigantes, y en la puerta había uno de esos buzones pequeños donde la gente deposita el correo. Lucely esperaba que su micrófono fuera lo suficientemente potente como para grabar el sonido del interior de la oficina. Miró hacia Syd, que merodeaba cerca del secretario del alcalde, y le hizo señas de que era el momento. Syd asintió como respuesta.

—Hola, estoy perdida. ¿Podría ayudarme? —le dijo al secretario.

Una mirada de preocupación se asomó a la cara del anciano. Le pidió a Syd que se sentara y comenzó a hacerle preguntas. Mientras, Lucely se acercó a la puerta de la oficina, apoyó la oreja y escuchó una voz profunda del otro lado. Retrocedió velozmente para no despertar sospechas. Definitivamente, el alcalde estaba ahí.

Miró hacia donde estaba Syd y metió la grabadora dentro del buzón de la puerta, asegurándose antes de que la lucecita roja indicara que estaba encendida. Se dio vuelta y se dirigió hacia su amiga.

—¡Cenicienta! —susurró.

Syd dio un respingo al oír el nombre en clave que ella misma se había puesto.

—Al fin apareces. El Sr. López me dijo que te buscara.

El secretario se veía visiblemente aliviado. Se secó las gotas de sudor que le corrían por la calva.

—Vuelvan ahora mismo adonde está su profesor —dijo.

Lucely asintió y tomó a Syd de la mano, tras lo cual salieron corriendo por el pasillo. Ahora solo tenían que esperar.

Encontraron a la clase a punto de entrar en la cafetería. Lucely se deslizó detrás de la Srta. Stein y tosió mientras Syd tomaba un sorbo de agua de una fuente. La Srta. Stein les sonrió dulcemente y entró con el resto de la clase. Las había visto, y Lucely esperaba que esto fuera suficiente para que pensara que habían estado allí todo el tiempo.

Después del almuerzo, Lucely siguió a sus compañeros por el mismo pasillo que ya había caminado hacía una hora. Podía sentir cada nervio de su cuerpo latiendo.

El Sr. López señaló a un hombre que parecía tener cerca de novecientos años.

—Aquí es donde se pagan las multas por estacionarse mal, y aquí es donde se sacan las licencias de matrimonio —dijo, señalando a una mujer que mascaba chicle y los miraba como si pudiera ver los gérmenes en sus caras.

Cuando por fin llegaron al final del pasillo, el alcalde Anderson se escabulló fuera de su oficina como una anguila. Era alto, mucho más alto de lo que lucía en televisión, y vestía una gabardina beige y los zapatos más brillantes que Lucely había visto nunca.

—Bienvenidos. Soy el alcalde Anderson…

Lucely lo observó con atención mientras hablaba. Había algo raro en él. Era casi como si las palabras que salían de su boca no coincidieran con el movimiento de sus labios, como en una película mal doblada. Se estremeció al recordar la cosa que había visto en el cementerio. El alcalde lucía extraño, pero no como un monstruo gigante de niebla, ni por asomo.

Quizá se habían equivocado. Aquel monstruo no podía ser la misma persona que estaba parada ante ellos ahora, ¿o sí?

—Entren, entren. No sean tímidos —dijo el alcalde.

El hombre hizo varios ademanes con sus brazos,

gesticulando exageradamente, y el grupo entró en su oficina con cautela. Lucely trató de quedarse rezagada para tratar de recoger la grabadora, pero el alcalde aún estaba junto a la puerta, sonriéndole. La niña sonrió con nerviosismo y entró a la oficina.

Syd no aparecía por ninguna parte. El alcalde se paró detrás del escritorio e hizo señas para que Lucely se uniera al resto de la clase. Esta echó otro vistazo, pero su amiga seguía sin aparecer, a pesar de que había estado junto a ella hacía un momento. De mala gana se unió a sus compañeros, estirando el cuello a cada rato en busca de Syd. Unos minutos más tarde, esta entró tranquilamente en la oficina, acompañada de la Srta. Stein.

—Tuvo que ir al baño y no encontraba la puerta correcta —le informó la mujer al profesor.

Syd saludó a su amiga y le dio un golpecito al bolsillo lateral de su chaqueta, como quien no quiere la cosa. Lucely contuvo una sonrisa emocionada. El resto de la excursión fue una agónica espera hasta que estuvieron de regreso en el autobús.

Se aseguraron de ser las últimas en subir, con el fin de sentarse en el frente, donde nadie les preguntaría qué estaban haciendo y podrían escuchar la grabación sin que las molestaran. Lucely había traído un adaptador para dos auriculares, para escuchar las dos a la vez.

Al principio no se oía nada más que estática, interrumpida de vez en cuando por alguien tosiendo o hablando ininteligiblemente. Luego a Lucely le pareció oír un sonido amortiguado. Subió el volumen y entonces comenzaron a oírse las voces. No una ni dos, sino al menos tres personas hablaban en susurros y murmullos.

—El plan está en acción —dijo una voz áspera y aguda.

—¡Solo hemos recolectado cincuenta hasta ahora, y eso no nos alcanza ni para empezar! —Esta voz sonaba como si la persona estuviera resfriada.

—Tranquilo. ¿Quieres que ese secretario incompetente nos descubra? —dijo el alcalde Anderson.

—¡Bah!

Lucely no sabría decir si esto último había sido una respuesta a lo que había dicho el alcalde o si la segunda voz simplemente había estornudado.

—Tienen que seguir recolectándolas, tratando de evitar a esa bruja y a sus fastidiosas asistentes —dijo el alcalde—. Mejor aún, debemos capturarlas si podemos.

Serían excelentes complementos. Especialmente el gato.

Se escucharon murmullos de aprobación. Lucely miró a Syd, que tenía la misma expresión de sobresalto que ella. Con lo de "la bruja y sus fastidiosas asistentes" las voces sin dudas se referían a Babette y a *ellas*.

—¿Cuándo sabremos que llegó la hora? —preguntó la segunda voz.

—No puedo creer que lo hayas olvidado otra vez —dijo el alcalde, soltando un suspiro—. Tenemos que recolectar suficientes almas antes de la luna llena de Halloween, y entonces, al filo de la medianoche, cuando la ciudad entera esté distraída por la fiesta, haremos el ritual. Entonces los superaremos en número y podremos controlar la ciudad.

Lucely se quedó pensativa. Una de las voces sonaba como la del alcalde Anderson, eso era seguro, pero ¿quiénes eran los otros?

—No debemos olvidar ese espantoso árbol de luciérnagas —dijo la segunda voz.

—Eso es lo más importante de todo. Su magia ha empezado a desvanecerse. Muy pronto no serán capaces de proteger la ciudad.

Lucely le agarró la mano a Syd con fuerza, y en ese

justo instante se detuvo la grabación; se había acabado la batería.

—¿Qué vamos a hacer? —preguntó, aturdida.

Esa gente sabía del árbol y de sus ancestros. Quienquiera que estuviera en esa oficina era responsable de todo lo que le estaba ocurriendo a su familia.

CAPÍTULO DIEZ

—TENGO UNA IDEA —dijo Syd, hundiendo los zapatos en la hierba mojada bajo el sauce del patio de Lucely, con las luciérnagas parpadeando sobre sus cabezas—. Tú dijiste que las luciérnagas podían sentir que pasaba algo malo, ¿verdad? Y se supone que te protegen.

Lucely asintió, entrecerrando los ojos. No le gustaba la expresión en la cara de su amiga.

—¿Qué te parece… si agarramos algunas de ellas, las que no hayan sido afectadas por la tormenta, y usamos su energía para derrotar a algunos de los fantasmas que están por toda la ciudad?

—De ninguna manera. No las expondré a ningún peligro —dijo Lucely, negando con la cabeza.

—Bueno, tenemos que hacer *algo* con los fantasmas. Tú has oído las noticias de apariciones por toda la ciudad. La cosa solo puede empeorar —dijo Syd tras un suspiro.

—¿Crees que eso tenga algo que ver con la luna llena en Halloween este año? —preguntó Lucely—. Y otra cosa, ¿cómo se te ocurre que podamos capturar esos fantasmas? ¿O acaso planeas construir una mochila con protones o algo así?

—Qué bueno que lo preguntas. —Syd se levantó y corrió hasta la casa, para volver poco después con su mochila—. Anoche hice esto con ayuda del manual de *Buscadores de fantasmas.*

Sacó un frasco de conserva muy parecido a los del sauce de Lucely, solo que este tenía un color verde brillante. La tapa estaba pintada de negro y en ella había escritas algunas palabras con tinta blanca. Una cuerda unía la tapa a un pestillo, de manera que se pudiera cerrar el frasco. El interior estaba revestido con papel holográfico, y una bolsita con algo que parecía orégano pendía de una cuerda pegada al interior de la tapa. Parecía un proyecto de arte que había salido mal, y olía espantosamente.

—No estarás hablando en serio —dijo Lucely—.

¿Crees que de verdad vamos a cazar fantasmas usando frascos de cristal llenos de papel de aluminio y especias? ¿Estás segura de que no estabas mirando sin querer una receta rara?

—Lo recomiendan en la serie. Tal vez fui un poco torpe al armarlo, pero la intención es lo que vale.

—Quizás esté bien como regalo, pero de ahí a cazar fantasmas… —dijo Lucely, arqueando una ceja.

—¡Oye! ¿Quién es la experta aquí?

Lucely alzó las manos, fingiendo rendirse.

—Bueno, ¿cómo encajan mis luciérnagas en todo esto?

—Quizás podrían avisarnos o algo por el estilo. Si empiezan a sentirse débiles, debemos estar alertas porque puede haber fantasmas cerca.

—Hum… eso sí es brillante. Aunque tendré que preguntarles; no quiero utilizarlas en contra de su voluntad.

—Tienes razón. Y como tu papá salió a hacer cosas aburridas de papá, este es el momento… —Syd sonrió.

—Está bien, está bien. Les hablaré ahora mismo —suspiró Lucely—. Eh…

Le hizo un gesto con la mano a su amiga para indicarle que le diera un poco de privacidad. Se sentía rara hablándoles a las luciérnagas en presencia de alguien que no fuera su padre.

Respiró hondo y miró a su familia de luciérnagas. En sus labios se dibujó una sonrisa cuando pensó en Tía Milagros con su chancla en la mano, en Macarena con las manos en las caderas, en Mamá poniéndole la mano arrugada sobre el hombro y diciéndole que podía hacer lo que quisiera. Ella sabía que le dirían que luchara.

Macarena apareció sobre una rama, balanceando las piernas.

—¿Podemos traer a Frankie? No ha parado de hablar de la tormenta y de Mamá por *semanas*. Creo que quiere ayudar.

A Lucely no le dio tiempo ni a saludar. Frankie salió volando y adoptó su forma humana con una descarga eléctrica. Había sido boxeadora antes de morir, y era muy buena. De hecho, nunca había perdido una pelea, cosa que le *encantaba* recordarle a toda la familia cuando se reunía.

—Te estaba esperando, prima. ¡Vamos! —Frankie se balanceaba de una pierna a la otra, lista para el combate.

—Yo voy también. —Tía Milagros apareció con los brazos cruzados y el ceño fruncido.

Antes de que Lucely pudiera protestar, la tía se aferró al brazo de Macarena. La prima se encogió, y Lucely supo que no valía la pena discutir.

—Conozco el mejor lugar para empezar —dijo Tía Milagros.

—El Castillo de San Marcos. —Lucely hizo un gesto teatral con la mano, señalando la fortaleza de piedra, como anunciando su llegada.

—¿Cómo vamos a entrar? —preguntó Syd—. No nos dejarán sin un adulto.

—¿Cuándo nos ha detenido eso? Sígueme.

Caminaron por el perímetro del castillo hasta llegar a una entrada sin custodio. Del otro lado estaban los sótanos de la fortaleza. Encadenaron las bicicletas a una reja.

—Si alguien pregunta, di que nos quedamos rezagadas y que vamos en busca de nuestros padres —dijo Syd, agitando la mano.

La brisa fresca que las recibió cuando entraron a uno de los largos y estrechos pasajes de la fortaleza fue una agradable bienvenida y un alivio del calor del día. Lucely iba tan distraída por la cantidad de turistas, algunos de los cuales susurraban con entusiasmo que esperaban ver un "fantasma real", que, sin darse cuenta, dejó de escuchar a Syd por completo.

—Holaaaa... Tierra llamando a Lucely... —Syd agitó las manos en el aire para atraer la atención de su amiga—. ¿Escuchaste algo de lo que acabo de decir?

—Disculpa... —Lucely la miró con expresión de arrepentimiento antes de sonreír.

—Como te iba diciendo —continuó Syd—, el manual de *Buscadores de fantasmas* incluye a este en su lista de los diez castillos más embrujados del sureste de Estados Unidos...

—Lo que me estás queriendo *decir* —interrumpió Lucely— es que, obviando esa categoría peculiarmente específica, este lugar está repleto de fantasmas, ¿no? *Tiene* que estarlo. Este castillo luce más viejo que Babette.

—Si te oyera, te convertiría en rana —dijo Syd, soltando una risa que provocó sutiles ecos a su alrededor.

Una vez en las entrañas de la fortaleza, la temperatura empezó a descender. De repente se hallaron completamente solas, sin más compañía que la oscuridad, con un túnel de piedra frente a ellas y la luz de las luciérnagas a ambos lados.

—Me congelo aquí abajo. —Lucely se frotó los brazos—. ¿Hasta dónde llega este túnel?

Acababa de decir esto cuando el túnel terminó abruptamente.

—Genial. Pensé que habría al menos algunos espíritus esperándonos al final.

—Qué mal chiste —dijo Syd—. Sin embargo, pensándolo bien, aquí abajo se siente algo un poco *raro*.

—Ahhh, ¿sientes cosquillitas en tus sentidos de bruja? —preguntó Lucely, aunque ella lo sentía también—. Voy a ver qué opina Macarena.

Lucely quitó la tapa del frasco y la prima salió disparada con una fuerza que la lanzó hacia atrás.

—Lucely, este no es un lugar seguro. Tienen que irse.

Macarena se veía aterrorizada.

—¡Encontré algo! ¡Ven a verlo! —gritó Syd antes que Lucely pudiera responder.

Macarena voló y se metió de nuevo en el frasco, muerta de miedo.

—¿Ves esta piedra de aquí… y aquella de allí? —Syd señaló las paredes que estaban una enfrente de la otra—. No están tan mugrientas como el resto. Y mira… —Empujó la que tenía más cerca, y la piedra se hundió una pulgada hacia dentro.

—¿Crees que es algún tipo de pasadizo a lo Indiana Jones? —preguntó Lucely con un susurro.

—Ojalá no sea una trampa. No tendría la menor oportunidad de salvarme si tengo que correr delante de una roca de tres toneladas.

—Syd, si realmente hubiera algo aquí, ¿no te parece que esto sería demasiado fácil?

—Cielos, cuando el universo te hace un regalo, lo tomas y corres. Además, no confías lo suficiente en mí; a lo mejor soy un genio. Ayúdame con esto.

Lucely se colocó frente a Syd y puso la mano izquierda en la piedra fría. Extendió el brazo derecho y agarró la mano de su amiga.

—¿Contamos hasta tres?

—Uno… dos…

Ambas respiraron hondo, confiando en que no fuera la última vez que lo hacían, y empujaron las piedras con todas sus fuerzas.

En cuanto el polvo se despejó, pudieron ver que, donde antes había una pared sólida, ahora se abría una puerta estrecha. La habitación frente a ellas parecía una barraca militar abandonada. Había ropa y objetos personales por todas partes, y daba la impresión de que nadie había estado allí desde hacía una eternidad.

Syd se aclaró la garganta.

—¿Qué te dije? Soy un genio.

Lucely puso los ojos en blanco y suspiró; su aliento salió en forma de nubecita blanca.

—Creo que alguien habló demasiado pronto.

—No digas que no te lo advertí —enfatizó Macarena.

—Vamos a mantenernos unidas. —Lucely sacó su cazafantasmas y le hizo una señal a Syd para que hiciera lo mismo—. No sabemos qué clase de fantasmas pueden ocultarse por aquí.

—Bueno, bueno, bueno —parecían decir las sombras con una voz tronante que salía de todos los rincones—. ¿Qué hacen dos lindos jil-jil-jilgueritos como ustedes tan le-le-lejos de su nido?

De la oscuridad salió un hombre hosco vestido con un uniforme militar español de varios siglos atrás. Su sonrisa siniestra no indicaba buenas intenciones, y tampoco lo hacía la cosa blanca que tenía a un lado. Con tan poca luz, casi se podría decir que el hombre estaba vivo, a no ser por la evidente herida de bayoneta que sangraba en su pecho.

—Ay, lo siento, señor —dijo Syd con voz temblorosa—. No queríamos molestarlo.

—Parece que nos hemos perdido tratando de encontrar a nuestros padres —añadió Lucely rápidamente.

—Vamos a regresar por aquí si no le importa —intervino Syd.

El soldado avanzó un paso, dándole la espalda a las sombras.

—¿Qué fue eso que les oí trinar a los pa-pajaritos sobre fantasmas?

Lucely se volteó. Ahora el soldado estaba más cerca, pero se limpiaba las uñas con indiferencia. A la niña le sudaban las manos mientras el frasco vibraba en su cintura.

—Todos dicen que este lugar está súper embrujado, pero yo pienso que no es más que un engaño para atraer turistas y cobrarles la entrada. No he visto ni un solo fantasma hasta ahora.

—Ah, yo no diría eso. —El hombre ya estaba frente a ellas, preparándose para atacar con un hueso humano afilado en la mano—. Oigan, fantasmitas, ¿por qué no les ense-se-señamos qué clase de engaño somos realmente? —dijo, y en su boca se dibujó una sonrisa malvada.

Lucely sintió el olor a muerte y descomposición que emanaba del hombre. Ella y Syd gritaron y trataron de escapar, pero otro soldado les bloqueó la única salida, esperando por los refuerzos.

Los fantasmas salían ahora de todos los rincones, y la esperanza de las niñas de salvarse se desvaneció. Lucely forcejeaba con los espíritus que la sujetaban, a la vez que intentaba abrir la tapa del frasco que colgaba de su cintura. Dentro del frasco, Frankie golpeaba el cristal, tratando de salir, pero apenas lograba estremecerlo.

De pronto se abrió la tapa. Frankie salió disparada y le dio un potente puñetazo al soldado más cercano, lanzándolo hacia el grupo de fantasmas, quienes, del susto, soltaron a las niñas.

Lucely dio un salto y dirigió su cazafantasmas hacia el espíritu de aspecto grotesco que las había acorralado. El fantasma soltó una carcajada y le arrebató de un golpe el frasco, que se hizo añicos contra el suelo.

—¡Corran! —gritó Frankie—. ¡Nosotros les cubriremos la retirada!

En medio de la conmoción, Lucely no había notado que Macarena había vuelto a salir de su frasco y se había situado a espaldas de Frankie, con los puños en alto y una actitud fiera que nunca le había visto.

Con un chasquido del cuello, Macarena adoptó una brillante forma humana. Lucía hermosa y parecía irradiar luz de cada uno de sus poros. Lucely se quedó petrificada, y al parecer lo mismo les ocurrió a los soldados.

—Lucely, déjanos a nosotras. —Sus miradas se encontraron, los labios de la prima no se movían—. Cuando salgan, dejen abierta la puerta y esperen mi señal para cerrarla.

Hipnotizados por la luz, los soldados parecieron olvidar a las niñas y empezaron a formar un círculo alrededor de Macarena y Frankie.

Lucely y Syd salieron corriendo de la habitación y se quedaron detrás de la puerta, esperando la señal. Miraron por una hendija. Lucely sentía que se le retorcía el estómago de la preocupación.

Las luces de Macarena y Frankie brillaban cada vez más.

Un momento después, la barraca explotó con una luz cegadora que hizo desaparecer a todos los espíritus de la habitación.

Una vez sellada la puerta, Lucely y Syd se dejaron caer al suelo, sin aliento.

—Espero que esa haya sido la señal —dijo Syd, recostándose a la pared.

—Fue como si hubiera explotado una supernova allá dentro. Pero seguimos en las mismas: los cazafantasmas no sirvieron, no pudimos averiguar lo del conjuro y Macarena y Frankie agotaron su energía espiritual para salvar nuestros patéticos traseros.

Lucely se esforzó por contener las lágrimas mientras agarraba el frasco aún sujeto a su cinturón. En el interior de este, la luz de sus luciérnagas se apagó.

CAPÍTULO ONCE

SE HIZO EVIDENTE, tras el desastroso intento de cazar fantasmas esa tarde, que necesitarían algo más potente para enfrentar a los espíritus malignos. Con sus cazafantasmas caseros no lo lograrían. Necesitaban *magia*.

El suave sonido de un saxofón llenaba el aire en casa de los Faires. Una nota particularmente alta sobresaltó a Syd, que frunció el ceño. Se levantó y abrió de un dramático tirón la puerta de su dormitorio.

—Papá, estamos tratando de estudiar.

Su papá tocó una nota baja, como pidiendo disculpas, y Syd negó con la cabeza al sentarse en la alfombra afelpada.

Lucely estaba tumbada en el suelo del dormitorio, jugando con Francisco, el perro de Syd, mientras se turnaban leyendo el libro gigante que Babette les había dado, buscando algo que pudiese ayudarlas aunque fuese remotamente.

Aunque el libro estaba lleno de detalles fascinantes sobre las brujas a lo largo de la historia, no pudieron encontrar ninguna información sobre el conjuro que habían leído, ni indicios de quién era "E.B.". Tampoco encontraron nada sobre lugares embrujados, ni qué hacer con los espíritus malignos, ni cómo encontrar las páginas que faltaban en el libro de hechizos.

—¿Dónde está la opción de búsqueda en los libros cuando uno la necesita?

Lucely bostezó y se acostó boca arriba. Francisco hizo lo mismo.

Syd pasó las páginas hasta llegar a la sección que habían hojeado en la biblioteca y la leyó en voz alta.

—"El Aquelarre Morado era muy conocido y respetado en San Agustín y los poblados aledaños, pues las brujas fungían como curanderas o doctoras de la villa. Sin embargo, cuando la histeria de los juicios de brujas llegó a Salem, los habitantes de San Agustín empezaron a mirar al aquelarre con sospecha y miedo. El procurador Braggs y su mujer acusaron a una de las brujas jóvenes, Pilar, de haber embrujado a su hijo mayor, Michael, quien había pedido la mano de esta en matrimonio. La familia Braggs llevó a Pilar a un juicio público y, a pesar de las vehementes protestas del novio, la muchacha fue ahogada en el río San Sebastián ese mismo día".

—Pobre Pilar. —Lucely se dejó caer sobre un enorme almohadón.

—Hay una nota al pie de la página que no vi el otro día. Es sobre el libro de magia —dijo Syd—. "*El libro de lobos* era un registro escrito de todos los hechizos y conocimientos que poseían las brujas moradas, y pasaba de un miembro a otro del aquelarre. Cuenta la leyenda que después de la muerte de Pilar, el aquelarre se dedicó a crear un maleficio para resucitar un ejército de muertos y abrir la puerta al inframundo".

Syd se detuvo abruptamente, con los ojos muy abiertos.

Lucely se levantó y miró a su amiga.

—¿Tú crees que… el hechizo que usamos era en realidad un *maleficio*? ¿*Este* maleficio?

—No lo sé —dijo Syd—. ¿Es eso posible?

Lucely se dejó caer hacia atrás, sobre la montaña de almohadas de Syd.

—¡¿Cómo el aquelarre pudo ser tan irresponsable?! ¿Y si el maleficio caía en las manos equivocadas…?

—Ya cayó, Luce… en las nuestras —dijo Syd—. Aquí dice más: "La única manera de detener la maldición es con el contrahechizo de *El libro de lobos*".

Lucely se levantó de un brinco al oír esto.

—Entonces, ¿aún hay esperanza?

—Bueno, técnicamente. Pero tenemos que encontrar el escondrijo súper secreto de un aquelarre súper secreto, y tener la suerte suficiente de hallar también las páginas perdidas, incluida la del contrahechizo que necesitamos. Es imposible. —Syd sonaba derrotada.

—Bueno, es mejor que no tener ninguna solución —dijo Lucely.

—Entonces, ¿cuál es el plan, Sherlock? —Syd le acarició las orejas a Francisco, y este comenzó a patalear en el aire.

—Buscaremos en el resto de los cementerios de la ciudad. Ahora sabemos al menos que el contrahechizo tiene que estar en una de las páginas que fueron arrancadas del libro. Y si no podemos encontrarlas, *entonces* iremos a ver a Babette.

—Me matará. Ya puedo leer los titulares: "Anciana pierde la cabeza" —dijo Syd mordiéndose el labio.

—Babette puede ser nuestra única solución…

—¿Podemos al menos llevar a cabo una última misión por nuestra cuenta antes de firmar nuestra propia sentencia? Quiero disfrutar de los últimos momentos de mi vida —gimió Syd.

—¡Dios mío, eres *tan* dramática! —Lucely negó con la cabeza.

—¿Cómo vas a escabullirte otra vez, con tu papá vigilando todos tus movimientos?

—Está dando excursiones extras los fines de semana, tratando de ganar un poco más de dinero. Siempre está muy ocupado cuando se acerca Halloween. Será fácil si vamos el viernes por la noche —dijo Lucely con más convicción de la que sentía.

El sentimiento de culpa le embargaba el pecho, pero rápidamente lo apartó. *Tenía* que hacer esto o las cosas se pondrían aún peor.

—Mis padres se van de fin de semana a un concierto de jazz, así que me quedaré con Babette. ¡Deberías preguntarle a tu papá si puedes quedarte a dormir conmigo! Así, cuando ella se duerma, podríamos escabullirnos.

Sin embargo, si nos descubren, diré que tú me obligaste.

—¡Traidora!

—Es el sálvese quién pueda en el apocalipsis fantasma. ¡Lo siento, pero no lo siento!

—Syd, si me delatas… —Lucely se lanzó hacia delante y empezó a hacerle cosquillas a su amiga.

Francisco ladró y se puso patas arriba para que Lucely le hiciera cosquillas en la barriga a él también.

—¡Para… no puedo… Luce! —Syd tenía la cara roja y le corrían las lágrimas por las mejillas.

Un golpe en la puerta interrumpió lo que se había convertido en una algarabía de gritos y ladridos. El padre de Syd asomó la cabeza con el saxofón todavía colgado del cuello.

—¿Se están divirtiendo?

Las niñas se miraron la una a la otra y les dio otro ataque de risa.

—Es casi la hora de la cena, Syd. Tenemos tu plato favorito: plátanos fritos y bistec.

El papá de Syd hacía los plátanos fritos más sabrosos que Lucely había probado jamás, pero nunca se lo diría a Simón.

—Tú puedes quedarte si quieres, Lucely.

—Ay, Dios mío, eso suena fantástico. —A la niña se le hacía agua la boca—. Pero le prometí a mi papá que estaría en casa esta noche.

—No te preocupes. ¡Será la próxima vez! Syd, te espero dentro de cinco minutos, ¿de acuerdo?

Antes de cerrar la puerta, simuló dispararles con una pistola imaginaria, haciendo el sonido de los disparos con la boca. A Lucely le encantaba lo raro y divertido que era el papá de Syd. Con todo lo que estaba pasando en su casa últimamente, extrañaba bromear un poco con su padre.

—¿Mañana por la noche? —dijo Syd, arqueando una ceja.

—Sí, mañana por la noche —respondió Lucely, sonriendo.

CAPÍTULO DOCE

TODO EN CASA DE LUCELY ERA viejo: el televisor de tubo de pantalla, el sofá de plástico, la computadora color crema de los años noventa, todo. La única cosa que a la niña probablemente no le importara que proviniese de la edad prehistórica eran los viejos videojuegos de su papá.

Simón había coleccionado todas las consolas de Nintendo desde que era niño, desde el Famicom hasta el N64, y Lucely había jugado todos los juegos de su colección. Entre sus favoritos estaba *Ghosts'n Goblins*, un juego de desplazamiento lateral en el que el jugador era un caballero que debía derrotar a varios demonios usando una lanza.

Lucely estaba sentada en la sala de su casa con las piernas cruzadas y la lengua afuera, tratando de abrirse paso entre esqueletos y zombis en las primeras etapas del prácticamente imposible juego. Por mucho que se esforzara, nunca lograba pasar del segundo nivel. Una vez más se le cayó la armadura y su avatar corrió de un lado a otro de la pantalla en ropa interior estampada de corazones, saltando y esquivando un monstruo tras otro.

—¡Desayuno, Lucely!

Muy pocas cosas en la tierra podían apartar a la niña de un videojuego. El beicon, los huevos y los panqueques ocupaban los tres primeros lugares de esa lista.

Mientras llenaba su plato y lo bañaba saludablemente con sirope, el sonido de la radio en la meseta de la cocina pareció cobrar vida con una alerta de mal tiempo.

—"Siguen llegando noticias de vientos erráticos y lluvias, que podrían provocar inundaciones en toda la ciudad. Algunos vecinos incluso afirman haber visto fantasmas…".

Simón apagó la radio justo cuando la noticia se estaba poniendo interesante.

—Ya no sé lo que pasa en esta ciudad. Si hubiera fantasmas volando por todos lados, ¿por qué no he visto ninguno? —Hizo una pausa y se aclaró la garganta—.

Discúlpame, Luce, es que estoy muy cansado por el trabajo.

—No puedes seguir quedándote despierto hasta tarde todas las noches, papá.

Lucely bajó la vista al plato. Sabía que su padre estaba triste, quizás incluso deprimido, por el hecho de que podían perder la casa.

—¿Ya hiciste tu equipaje para el fin de semana? —El padre de Lucely era un maestro en cambiar de tema.

La niña acababa de engullir el último bocado de huevos revueltos y panqueques, así que solo pudo responder asintiendo con la cabeza. No quería que su papá se diera cuenta de cuán asustada estaba; ni tan siquiera ella misma quería admitirlo. De hacerlo, le resultaría imposible realizar las cosas que se había propuesto hacer.

Eso le recordó que aún no se había despedido de las luciérnagas. Babette estaría llegando a recogerla de un momento a otro.

—¡Vuelvo enseguida! —dijo, corriendo al patio.

Mientras más se acercaba al sauce, más nerviosa se ponía. La luz de las luciérnagas parecía un poco más débil que cuando las había visto la noche anterior.

Las alas de Mamá se agitaban tan levemente que

apenas se notaba, pero, para su sorpresa, Macarena parecía estar casi recuperada del combate en la barraca. Lucely le dijo que debía seguir descansando, pero ella había escuchado los planes que tenían las niñas para esa tarde, e insistió en acompañarlas.

—Oye, Manny se pondrá muy celoso —bromeó el primo Benny cuando Lucely le preguntó si quería ir él también—. Yo voy si Babette pone *hip-hop* en la radio. Sin ánimo de ofender a tío Simón, ya estoy harto de toda la bachata que ha estado poniendo últimamente. Es deprimente hasta para un muerto.

Lucely sostuvo en alto un frasquito para que las luciérnagas se metieran dentro, con el fin de llevarlas con ella. Luego guardó el frasquito en el bolsillo de la sudadera.

—¿Qué haces, primita?

Yesenia, una de las primas lejanas de Lucely, bajó flotando desde su frasco y se sentó en la punta de la rama donde colgaba el de Mamá.

—Hola, Yesenia. Me voy unos días, así que quería ver cómo estaban todos. ¿Te has sentido bien?

—En general bien, pero... —Yesenia se acercó a Lucely hasta quedar justo frente a su nariz—. Algunos hemos tenido pesadillas o algo así. No sé cómo llamarlas exactamente. El otro día, Tío Fernando trepó al árbol y saltó desde él, gritando mientras caía.

Lucely sintió un escalofrío. Tío Fernando había muerto en un accidente aéreo hacía mucho tiempo, a causa de un desperfecto del avión.

—¿Tú crees... que las pesadillas los hagan revivir sus muertes? —susurró.

Tía Milagros tenía razón. Todo cobraba sentido ahora. Manny, que había muerto en un accidente automovilístico, se estrelló contra la pared. Mamá, que había fallecido en su casa, en un instante estaba sentada en su cuarto rezando y al siguiente ya no estaba. Lucely trató de no temblar. Lo que ocurría era espeluznante incluso para ella.

—¿Yesenia... cómo moriste tú?

—Estuve enferma. —Yesenia tenía la mirada perdida—. Tan enferma que ni los médicos pudieron salvarme.

El aire se enfrió de pronto y el aliento de Lucely empezó a salir en bocanadas blancas. La prima abrió desmesuradamente los ojos y su cabeza comenzó a sacudirse como si se hubiera atascado en una rueda rota que giraba interminablemente. El espíritu se convirtió en una sombra gris; su pelo, su cara, sus ojos y su ropa parecían de pronto salidos de una película en blanco y negro.

Yesenia gritó y Lucely trató de agarrarla, pero fue demasiado tarde. Su prima se había ido.

Lucely trepó por el árbol hacia el frasco de la prima. En el interior de este, la luciérnaga temblaba suavemente, casi sin luz.

—No, no, no.

Lucely rompió a llorar. Había cometido el error de preguntarle la causa de su muerte, y con esto la había hecho sufrir. Tenía que haber una forma de proteger a las luciérnagas mientras ella estuviera ausente.

Entró corriendo a la cocina en busca de sal y dibujó con ella un gran círculo alrededor del árbol. Entrando en el círculo, llamó a Tía Rosario, quien apareció con un vestido rosado estampado de florecitas y su larga cabellera trenzada.

—Bendición, Tía —dijo Lucely—. ¿Puedes cuidar un rato a Mamá y a Yesenia?

—Claro que sí, mija. —Rosario se acomodó las gafas rosadas—. ¿Por qué hay sal por todas partes?

—Estoy tratando de mantener alejado lo que sea que les está provocando pesadillas.

—Ah, sí. Han sido un par de días extraños. —Rosario cerró los ojos y respiró hondo—. Ya se siente mejor. Gracias.

Lucely sonrió.

—Me voy a casa de Babette por el fin de semana. Si algo sucediera…

—Haré todo lo posible por hacértelo saber. No te preocupes. —Tía Rosario sostenía un rosario en la mano y recorría sus cuentas con los dedos con preocupación.

Lucely abrazó a su tía y se dejó envolver en la calidez del abrazo.

—Gracias, Tía.

—Suerte y fuerza. —Tía Rosario le dio un apretón de manos a la niña antes de regresar a su frasco.

Lucely se acercó a la rama más baja, que parecía intentar tocarla y desordenarle el pelo cada vez que ella pasaba junto al árbol.

—Mamá —susurró—, voy a averiguar cómo arreglar esto. No se preocupen, estarán bien. —Miró hacia arriba, a las luces de las otras luciérnagas—. Todos ustedes. Lo juro.

Se plasmó un beso en los dedos y tocó el frasco de Mamá. Luego corrió de vuelta a casa y agarró la mochila.

En ese justo instante su papá la llamó desde la entrada. Babette había llegado.

—Bueno, Luce, este fin de semana le haces caso a todo lo que te diga la Sra. Faires. No quiero que me den ni una queja, ¿comprendido? —Simón se inclinó y le dio un beso en la cabeza a su hija.

—¿Cuándo alguien ha tenido alguna queja de mí? —Lucely se hizo la sorprendida—. Espera, no me lo digas. Prometo ser obediente.

—Mas te vale —dijo su padre—. Yo sé que nunca has visto una chancleta voladora en tu vida, pero créeme, puede que la veas si es necesario.

—No te preocupes, Simón. Yo las mantendré a raya. —Babette se ajustó el cinturón de seguridad.

—Vaaaamos, Lucely. —Syd saltaba en el asiento, sacudiendo el auto entero.

—¿Oye, papá?

Simón miró a su hija sorprendido.

—¿Qué pasa, Luce?

—Te quiero. Cantidad. Las cosas se arreglarán. Te lo juro.

El padre sonrió y se secó una lágrima. Miró a Lucely con tanto amor que su corazón parecía estar a punto de estallar.

—Lo sé. Y yo te quiero a ti.

Lucely tenía todas sus esperanzas depositadas en los próximos tres días. Sabía que si no tenían éxito ese fin de semana, nadie podría hacer nada más. Ninguna cantidad de dinero evitaría que el alcalde Anderson acabara con la ciudad.

Por tanto, esta noche no dormirían. Estarían cazando fantasmas.

CAPÍTULO TRECE

LOS GATOS DE BABETTE LAS OBSERVABAN desde el portal cuando el auto se estacionó en la entrada pedregosa. Syd agarró a Lucely de la mano y la arrastró escaleras arriba hasta la buhardilla donde dormirían, sin siquiera darle tiempo de darle las gracias a Babette.

—Me moría de ganas de enseñarte esto. Estaba buscando entre las cosas de mi abuela, y mira.

Syd sacó una vela de la mochila. Era blanca, con llamas rojas pintadas en el costado y un símbolo raro alrededor.

—¿Para qué es? —preguntó Lucely, inspeccionándola detenidamente.

—Es una vela protectora —susurró Syd—. Se supone que invoque al dios de la guerra.

—Suena peligroso.

—Si nos enfrentamos de nuevo a los monstruos de la biblioteca, la utilizaremos contra ellos. Se supone que la vela trabaje para el que la encienda. Debe ser muy poderosa porque la encontré en la caja fuerte secreta de mi abuela.

—¿Qué? ¿Cómo la abriste? ¿Y si lo nota? Estaremos fritas.

—Si ella se da cuenta de que nos escapamos esta noche, vamos a estar fritas de cualquier manera. ¿Por qué no evitar entonces morir a manos de un megafantasma?

Lucely asintió. Syd tenía razón. Además, ahora que sabían a qué se enfrentaban, ya no podían ir al próximo cementerio sin tener algo con que defenderse.

—¿Cuál es el plan, entonces? —Syd metió la vela de nuevo en la mochila.

—Vamos a inspeccionar el cementerio Huguenot esta noche. Según mi papá, es uno de los más embrujados. Y allí hay una iglesia, lo que lo hace más tenebroso. Tengo nuestros recorridos planificados con todos los mausoleos marcados en mi teléfono y en un mapa impreso por si nos quedamos sin batería.

—¿Recorridos? ¿En *plural?* —preguntó Syd, abriendo mucho los ojos.

—Bueno… esto *no* te va a gustar, pero creo que debemos separarnos… —dijo Lucely con un escalofrío.

—¡Separarnos es lo único que no deberíamos hacer! —Syd alzó las manos—. Pero, oye, tú eres la jefa. Si muero, sé amable con mi espíritu. Déjame vivir en tu árbol o algo así.

—¿Crees que debamos llevar a Chunk? —Lucely agarró a la gata gorda y le acarició el hocico.

—Miau —respondió Chunk.

—¿Crees que se quede tranquila cuando nos escapemos? —preguntó Lucely.

—Maullará más alto si no la llevamos. Es muy curiosa, te lo juro por mi madre.

—Deberíamos agarrar algunas de esas golosinas que le gustan, por si acaso.

—Una última pregunta: si encontramos una de las páginas que le faltan al libro, ¿qué hacemos?

—*Entonces* recitaremos el conjuro. Mientras más pronto, mejor. Las luciérnagas se debilitan más cada día y la ciudad ha sido invadida por fantasmas. —Lucely suspiró—. Si no encontramos pronto otro lugar donde vivir o una forma de conservar la casa, supongo que nos quedaremos en la calle.

—No dejaremos que eso pase —dijo Syd, y abrazó a su amiga—. Les diré a mis padres que te dejen quedarte con nosotros. O aquí con Babette. Puedes dormir con Chunk en su cama.

Lucely se rio, y se dejó abrazar fuertemente.

—Si logramos solucionar esto antes de Halloween, ¿crees que haya alguna posibilidad de que no pierdan la casa? —preguntó Syd.

—Quizás. El año pasado, por Halloween, recuerdo que mi papá dijo que habíamos ganado más de cinco mil dólares. Eso no es nada comparado con lo que necesitamos, pero quizás, si conseguimos esa cantidad, sea suficiente para convencer al Sr. Vincent de que nos deje en la casa un tiempo más. Y quién sabe si cuando los fantasmas de verdad se hayan ido, los turistas tengan más curiosidad por ver lo que hay aquí.

—Dejemos eso para mañana. Esta noche nos ocuparemos de encontrar la próxima pista —dijo Syd.

Por primera vez desde que había comenzado todo,

Lucely tuvo esperanzas, aunque por ahora fueran solo conjeturas.

Un toque fuerte en la puerta de la casa sobresaltó a Lucely y la sacó de la lectura en la que estaba inmersa. Habían estado en la biblioteca de Babette —con permiso esta vez—, supuestamente informándose sobre fantasmas, aunque en realidad estaban tratando de encontrar más información sobre el contrahechizo. La biblioteca estaba situada cerca de la parte delantera de la casa, y ambas niñas se escabulleron hacia la arcada que había entre la biblioteca y el vestíbulo para escuchar a escondidas sin que Babette las viera. Lucely oyó como la mujer abría la puerta y una voz familiar la saludaba.

—Alcalde Anderson, qué sorpresa —dijo Babette—. ¿Qué hace afuera, visitando tan tarde a los vecinos? Por lo general usted envía a ese asistente tan listo que tiene.

—Es un placer verla a usted también.

Syd y Lucely se miraron. ¿Qué hacía el alcalde allí?

Lucely logró echar un vistazo y pudo ver al hombre extremadamente alto frente a la puerta. El alcalde se atusó el blanco bigote, alisó su larga gabardina y le entregó algo a Babette.

—Como usted sabe, la fiesta anual de Halloween se acerca, así que pensé hacer un corto recorrido por la localidad repartiendo folletos y cosas de ese tipo. Sería un gran placer si usted pudiera unirse a nuestra modesta velada.

Babette miró el folleto y lo estrujó. La mirada del alcalde se desplazó hacia el lugar donde Lucely y Syd estaban escondidas, y su boca se estiró en una sonrisa sobrenatural, como si su cara estuviera hecha de masilla. Sus ojos destellaban con un color verde enfermizo al volverse hacia Babette.

Lucely se apresuró a taparle la boca a Syd justo a tiempo de ahogar un soplido. Las dos se quedaron heladas del miedo.

—No estoy interesada. —Babette iba a cerrar la puerta, pero el alcalde la detuvo.

—Creo que sería aconsejable que usted, al menos, considera…

—Creo que sería aconsejable que usted abandonara mi propiedad antes de que llame a la policía o le eche una maldición. —Babette no se andaba con rodeos.

El alcalde alzó los brazos en señal de resignación.

—Que tenga una noche agradable. Esperamos que lo reconsidere.

Dicho esto, el alcalde se marchó.

Babette cerró la puerta de un golpe y se dio vuelta tan rápido que a Lucely y a Syd no les dio tiempo a abandonar su escondite.

—Creo que ya es hora de que se vayan a la cama, pequeñas espías.

Las niñas esperaron a que Babette se marchara a su dormitorio y cerrara la puerta para inspeccionar todo lo que llevarían con ellas esa noche. Chunk, Data y Sloth se habían estacionado junto a las mochilas y las observaban con desinterés.

—Cuando dije que nos preparáramos, quise decir a *cazar fantasmas*, no para un fin de semana en Disney —dijo Lucely.

—Me dijiste que estuviera lista, lo cual significa que traje todas mis cosas relacionadas con la caza de fantasmas. Tú sabes que soy así. Lo tomas o lo dejas —dijo Syd, cruzándose de brazos.

—Eres tan exagerada —rio Lucely—. Está bien, ¿que hay en ese bolso?

—Bueno, esto es un amuleto de protección contra espíritus malignos proveniente de Nueva Orleans. Y esto es un nuevo cazafantasmas. —Syd sostenía un frasco pintado con espray—. Lo hice yo misma y me tomé mi tiempo para que saliera bien, así que espero que sea realmente efectivo, a diferencia del primero. Puede que no funcione como las cosas de Babette, pero debería servir para algo. ¿Trajiste tú las luciérnagas?

Lucely asintió y puso una mano sobre el pequeño frasco donde guardaba a sus primos Macarena y Benny. Eran las luciérnagas más jóvenes y fuertes. No se había atrevido a traer a Tía Milagros, porque no sabía si podía lidiar con ella y los espíritus malignos a la vez.

—Magnífico. Vamos a ponerlos en mi frasco. Ellos deberían ayudar a atraer malos espíritus. —Syd estiró la mano para agarrar el frasco.

—Espera. —Lucely alzó una mano para detenerla—. Dos cosas: la primera es que prometiste que no sufrirían ningún daño, y encerrarlos junto a espíritus malignos no suena muy agradable ni seguro; y la segunda es que todavía no sé cómo se supone que un frasco pintado con espray funcione contra un antiguo conjuro. No luce ni la mitad de chévere que las trampas de muones que usaban en *Los cazafantasmas*.

—No estamos en una película. Esto es la vida real. Y mi cazafantasma hecho en casa funciona mejor que nada. Tenía la fórmula completamente equivocada la vez pasada; la cuestión radica en la pintura *negra*.

—¿Sabes una cosa? Tienes razón. Quizás después de que salvemos la ciudad de los espíritus viles que intentan arrastrarnos al inframundo, puedas vender en Etsy tus cazafantasmas *hippies* hechos a mano. ¡Ponle a tu tienda "Syd la caradura"! —Lucely apenas podía contener la risa.

Syd entrecerró los ojos, pero una sonrisa jugueteaba en sus labios.

—De cualquier manera, traje tres amuletos de protección, regalos de Babette por mi cumpleaños. Todos deberíamos llevar uno puesto. Incluso Chunk. Además, "Syd la caradura" suena muy bien, así que lo voy a anotar en mi diario.

Le dio a Lucely un collar con un zafiro gigante. El de ella tenía una amatista y el de Chunk, un cristal transparente. Se colgaron los amuletos y Lucely sintió que algo cálido le recorría el cuerpo. Estas cosas parecían tener *poderes*.

Chunk maulló a modo de protesta cuando Syd le puso el suyo, y trató de quitárselo con las patas. Cuando se calmó, la niña la puso encima del bolso y la gata enseguida comenzó a roncar.

—Traje también un poco de agua de Florida, que ayuda a alejar la mala energía y los malos espíritus. Y se supone que estas piedras protejan de los demonios y la posesión.

—Ay, Dios, yo necesito una de esas.

Lucely extendió la mano, recordando cuán horrible había sido que el espíritu de Mamá pasara a través de ella. Syd le puso la piedra rosada en la mano; se sentía fría y pareja.

—¿Estás segura de que esto va a funcionar?

—Bueno —dijo Syd—, yo nunca he estado poseída, pero tú debes dejar de criticar mis herramientas. Fabriqué un cazafantasmas para ti también. —Le dio a Lucely un frasco negro idéntico al anterior, con un asa de alambre y una tapa que se abría con la presión del dedo y se cerraba con un apretón.

Lucely inspeccionó el frasco; en su interior tenía un pequeño compartimento aislado en el centro.

—¿Las luciérnagas van en el medio? —preguntó.

—Sí, y los espíritus malignos en la parte de afuera.

Estarán seguras, lo prometo. Lo lavé todo con agua de Florida y los espíritus malignos se volverán inofensivos cuando los atrapemos ahí.

Lucely se mordió el labio y asintió sin entusiasmo. Esperaba que Syd tuviera razón.

—También traje *El libro de lobos*, solo en caso de que encontremos algo; dos linternas, una banana, algunas velas, una barra de pan, un poco de dinero en efectivo y un bigote falso.

—No te voy a preguntar para qué es el bigote —comentó Lucely, negando con la cabeza.

—Oye, no sabemos si nos van a secuestrar o si nos vamos a perder; lo que sí es seguro es que nos va a entrar hambre. Y el bigote nos servirá de disfraz, por si nos tropezamos de nuevo con el alcalde espeluznante y nos ve; pero, solo tengo uno.

—Puedes usarlo tú —dijo Lucely, riendo.

—Está bien, pero no vengas a suplicarme que te lo preste si nos atrapan.

A eso de las diez, Babette cayó en un sueño profundo y comenzó a roncar, justo como Syd había previsto. A las diez y media, las niñas y Chunk ya se dirigían al cementerio.

Iban en bicicleta en medio de la noche neblinosa. De vez en cuando, un espectro se asomaba por entre la hilera de árboles en las aceras. Chunk estaba acurrucada en una cesta en la parte delantera de la bicicleta de Syd, envuelta en una manta para mantenerla abrigada.

—¿Qué crees que quería el alcalde cuando fue a ver a Babette? —preguntó Lucely mientras pedaleaban.

—Nada bueno, seguramente.

Al llegar a la entrada del cementerio Huguenot, escondieron las bicicletas detrás de un olmo gigantesco.

—Marqué todos los mausoleos del cementerio en el mapa. Algunos estarán abiertos y otros, cerrados, pero tengo esto, en caso de que tengamos que forzarlos. —Lucely le dio unas palmaditas a una palanqueta que asomaba de su mochila.

Syd aplaudió suavemente y Chunk bufó al despertarse sobresaltada de su siesta.

—Hay doce mausoleos en este cementerio. ¿Estás segura de que no quieres que nos separemos…?

Syd la interrumpió alzando una mano.

—¿Nunca has visto una película de horror? *¿Scooby*

Doo? Además, ¡tengo miedo, chica! Iremos juntas.

—Está bien, *gallina*. Podríamos cubrir más terreno separándonos, pero si tienes mucho miedo… —bromeó Lucely.

—¿Y si los espíritus malignos vienen a atraparnos, eh? ¿Entonces qué? No estoy dispuesta a morir sola. No, señora —dijo Syd, sintiendo escalofríos, y soltó una risita nerviosa.

—Sígueme, Syd. Ya me sé los mapas de memoria.

Las oxidadas rejas de hierro del cementerio Huguenot tenían unos tres metros de altura. Mientras Syd miraba la reja, Lucely sostuvo en la mano el candado que mantenía cerrado el portón. Le dio unos cuantos porrazos con la palanqueta, pero ni siquiera se movió.

—Esto no está cerrado, está súper cerrado. A menos que tú puedas hacer un conjuro de *Alohomora*, no hay forma de entrar —dijo Lucely, negando con la cabeza.

—Te rindes demasiado rápido, Luna —bromeó Syd.

Le indicó mediante gestos que la siguiera y juntas fueron con las bicicletas hasta el otro lado del cementerio.

—Aquí.

Syd soltó la bicicleta y señaló un área de tierra bajo una cerca de alambre. La tierra se hundía justo debajo de la cerca y dejaba casi el espacio suficiente para pasar.

—Podemos cavar un poco para ampliar el espacio —sugirió.

—¿Cómo sabías que esto estaba aquí? —preguntó Lucely, riendo.

—Exploré el lugar antes. Sinceramente, ¿qué clase de cazafantasmas aficionado crees que soy?

—Ah, podría jurar que esta es solo tu segunda "cacería de fantasmas", Syd.

—Técnicamente, sí, pero he observado y planeado lo suficiente como para *sentir* que no es la primera.

Se agachó y empezó a cavar. Lucely se sumó a la tarea.

—Esto es asqueroso. Probablemente haya gusanos de gente muerta aquí —dijo, haciendo una mueca.

—Ay, Dios mío, ¿por qué tienes que decir eso justamente ahora?

Rieron y siguieron cavando con las manos hasta que hubo espacio suficiente como para pasar por debajo de la cerca.

—Yo voy primero, me pasas a Chunk y luego entras tú, ¿de acuerdo? —dijo Lucely.

La niña se echó cuan larga era, tratando de pegarse al suelo tanto como podía, y pasó arrastrándose bajo la cerca. Olía a tierra fresca, y deseó que la ropa no se le fuera a arruinar completamente. Al llegar al otro lado, se sacudió los *jeans* lo mejor que pudo. Syd empujó a la gata por debajo de la cerca.

—Vamos, Chunk, mueve tu trasero gordo —dijo, pero la gata no quería moverse.

Chunk soltó un largo maullido a modo de protesta. Lucely se puso de rodillas, sacó un trozo de queso y emitió una especie de arrullo. La gata cruzó la cerca como un rayo.

—Contigo siempre se trata de comida —dijo Syd, y se deslizó ella también por debajo de la cerca.

—Qué bueno que traje queso —dijo Lucely.

—Qué bueno que a los gatos de mi abuela solo les interesa la comida.

El cementerio parecía más oscuro que el resto del mundo, y también más frío. Los árboles se balanceaban y Lucely evitó mirarlos. En la oscuridad parecían fantasmas bailando.

Chunk iba alerta dentro de un portabebés que Syd llevaba a cuestas. A medida que se adentraban en la bruma del cementerio, la gata empezó a lloriquear, y Syd le susurró para serenarla. Estuvo quieta un rato, pero volvió a quejarse cuando se acercaron al mausoleo.

—¿Está bien? —preguntó Lucely.

—No creo que tenga que hacer sus necesidades; las hizo antes de venir. Probablemente percibe a los fantasmas.

Lucely le acarició la cabeza, y la gata le lamió la mano antes de ocultarse dentro del portababés, temblorosa.

—Vamos. —Lucely trató de ignorar sus nervios al empujar la pesada puerta de mármol.

En el mausoleo hacía aún más frío. Iluminaron el interior con las linternas, produciendo largas sombras en las paredes y el suelo. Estaban tan cerca la una de la otra que Lucely podía sentir que Syd tenía la piel de gallina. Chunk maullaba ya de modo frenético.

—Quizás deberías quedarte afuera con ella para vigilar —dijo Lucely—. Quizás su pequeño corazón no soporte esto.

—De ninguna manera voy a estar parada sola ahí afuera.

Syd tomó algo de su bolsa y se lo dio a la gata. Lucely oyó a Chunk masticar plácidamente.

Inspeccionaron el lado derecho de la tumba, y Syd se agarró tan fuerte del brazo de Lucely que casi la lastima.

—¿Te pasa algo? Normalmente te gustan estas cosas —le dijo Lucely.

—Lo sé, pero estoy aterrada. Chunk está asustada, y ella nunca se asusta. Todo esto me da escalofríos.

—Estamos en un cementerio en medio de la noche. Sería muy raro que *no* tuvieras escalofríos. Yo trato de mantenerme relajada porque nos faltan al menos unas cuatro horas antes de regresar a casa.

—Tienes razón. —Syd se enderezó y dejó que Lucely avanzara.

Inspeccionaron el otro lado de la tumba y regresaron a la entrada.

—Nada. —Lucely se revolvió los rizos, frustrada.

—Vamos, el próximo está a unos veinte pasos a la izquierda. No tiene sentido despeinarse.

El siguiente mausoleo era mucho más grande que el primero, con dos corredores que llevaban a dos cuartos separados. Las niñas se mantuvieron juntas, pues no querían perderse de vista la una de la otra.

Lucely recorrió las paredes polvorientas con las manos, en busca de concavidades o trampas. Syd alumbró con la linterna dentro de un ataúd y tanteó dentro con un palo largo.

—Seguimos sin suerte —dijo Lucely después de que revisaran la tumba.

De cada rincón del siguiente mausoleo salían chillidos agudos. El destello de una larga cola o de un pelaje gris mohoso que se arrastraba por el suelo estremeció a Lucely, quien trató de no gritar. No obstante, aparte de las ratas gigantes que se ocultaban en las sombras, la tumba estaba vacía, al igual que las tres siguientes. Era la una de la madrugada cuando llegaron al séptimo mausoleo, y Lucely empezaba a temer que nunca encontrarían las páginas faltantes.

Syd temblaba. A pesar de que el clima era bastante templado, las niñas habían sucumbido a un frío en los huesos del que al parecer no podían desprenderse por mucho que saltaran o se frotaran las extremidades. Una llovizna caía formando burbujas grises en medio de la niebla.

Llegaron a uno de los mausoleos más grandes del cementerio. Hacía tanto frío que Lucely estaba erizada de pies a cabeza y tenía la nariz tan fría como cuando pasó las Navidades en Nueva York hacía unos años.

Cada vez que había sentido ese frío sobrenatural, algo malo había pasado, como había ocurrido con Mamá y con Manny, y también en la fortaleza. Se estremeció y apartó ese pensamiento. El mausoleo olía a naftalina, a ropa húmeda y a plástico de juguetes viejos abandonados en una tienda de segunda mano. Justo al pensar en los juguetes, oyó algo que sonaba como la risa de un niñito y unos pies que corrían por el suelo de cemento. Se detuvo y se dio vuelta para buscar el origen del ruido, pero no había nada, solo oscuridad.

—Algo no anda bien.

Lucely avanzó despacio hasta la entrada del mausoleo. Abrió la puerta y pasaron el umbral. Chunk maulló tan alto que el maullido no pareció haber salido de ella. Entonces, la puerta se cerró de golpe. En ese mismo instante a Lucely se le cayó la linterna y la luz se apagó con un crujido. La niña se volteó y agarró la manija de la puerta con ambas manos y haló, pero la puerta no se abría.

—¿Qué está pasando? —gritó Syd.

—¡Ayúdame! La puerta está atascada.

Ambas halaron, pero la manija no se movió. La sacudieron, patearon y gritaron, pero no sirvió de nada. Algo se movió tras ellas, y las niñas se quedaron petrificadas. Oyeron un nuevo crujido y a continuación se desató una ráfaga de aire tan frío que los pelos de los brazos se les pusieron de punta.

—¿Quién anda ahí? —preguntó Lucely sin mirar atrás.

Extendió la mano lentamente hacia la puerta, pero la

ráfaga de aire las envolvió y ambas gritaron. Chunk se les sumó con un maullido.

Alguien murmuraba en la oscuridad. Las palabras sonaban casi como... una canción, pero la voz no era humana. Era grave y amenazadora como el gruñido de un jaguar.

—He cazado dos mosquitas en mi tela, en mi tela. Dos mosquitas me molestaron y ahora están muertas.

La linterna de Syd empezó a parpadear al ritmo de la canción y luego se apagó, sumiéndolas en una completa oscuridad junto a lo que fuese que estaba allí dentro con ellas. La voz reía como loca, y Lucely pensó que iba a desmayarse del miedo.

—Lo sentimos. —A Syd le tembló la voz—. Solo estábamos tratando de ayudarte a ir a casa.

Lentamente volteó la mochila hacia Lucely, quien asintió. Syd rio con nerviosismo, pero siguió hablando.

—Solo somos dos niñas. No sabemos bien lo que hacemos. Pensamos que podíamos de ayudarte, pero obviamente no necesitas nuestra ayuda.

Lucely empezó a sacar la botella de agua de Florida, pero Syd negó con la cabeza. Entonces sacó de la bolsa un frasco que tenía un trozo gigante de cinta adhesiva, donde estaba escrita la palabra "sal" con la divertida caligrafía de Syd. Por el rabillo del ojo, Lucely vio que su amiga asentía disimuladamente. Le alcanzó la sal.

—Ya nos vamos. Gracias por tu amable hospitalidad. —Syd alzó el frasco y describió con él un círculo, arrojando sal en todas direcciones.

La criatura chilló. Por sobre sus cabezas se escuchó un sonido como de uñas arañando una pizarra. Lucely alzó la vista y vio que se trataba de otro monstruo de niebla. Había crecido encima de ellas y ahora se lanzaba en picado.

Chunk se había liberado del portabebés y estaba escondida detrás de la pierna de Syd.

La niebla se arrojó sobre ellas. Las niñas gritaron y Chunk saltó a los brazos de Lucely. Esta cerró los ojos y vio la cara de su padre. ¿Saldría con vida de aquí? ¿Lo volvería a ver?

Syd volvió a arrojar sal, pero esta vez, cuando la niebla se abalanzó sobre ellas, se echaron a un lado y escaparon por un pelo de la criatura, que se estrelló contra el círculo de sal y chilló de dolor. En el mismo instante, la puerta se abrió, dejando entrar una ráfaga de viento en el mausoleo y dispersando la sal por todas partes.

Las niñas no perdieron un segundo y escaparon hacia la noche.

Las zarzas le arañaban las piernas a Lucely mientras intentaba correr en línea recta en la oscuridad. Chunk maullaba y bufaba en sus brazos.

—Es... que... pesa... tanto —jadeó Lucely.

—Por eso le puse Chunk, como el personaje de los *Goonies* —dijo Syd.

Se arrastraron por debajo de la cerca y Lucely trató de no pensar en gusanos y cosas muertas. Cuando llegaron a donde estaban las bicicletas, puso a la gata en la cesta de la bicicleta de Syd y montó en la suya. Mientras se alejaban pedaleando, se dio vuelta y pudo divisar al monstruo parado en el umbral de mármol del mausoleo, que bajo la luz de la luna revelaba una forma que no habían visto antes.

Los ojos vacíos del monstruo parecían inscrustados en ellas. Aparte de la piel gris y el hueco negro en lugar de boca, era idéntico al alcalde Anderson.

CAPÍTULO CATORCE

EL MACABRO ALCALDE DE NIEBLA las persiguió, aumentando de tamaño a cada paso. Una nube de mugre y zarzas se arremolinaba en torno a él como un poderoso tornado, oscureciendo por completo su forma humana. El alcalde Anderson se había convertido en una *cosa* turbia, deforme y terrorífica. Era como si se hubieran fundido en él muchos espíritus. Múltiples pares de ojos brillaban sobre bocas que aullaban al unísono. Gruesas venas verdes latían por cada pulgada de su pútrida masa.

—¡Ay, Dios mío, Dios mío, Dios mío! ¡Dale, dale, Syd! —Lucely pedaleaba más rápido que nunca en su vida.

Chunk bufaba muy alto, mientras las gomas de las bicicletas hacían crujir las hojas secas.

—¡Aaaaaaahhhhh!

El monstruo de niebla sopló un muro de aire frío sobre ellas, provocando que las extremidades de las chicas se les pusieran rígidas. Pedalear se hacía cada vez más difícil y comenzaron a ir tan despacio que apenas se movían.

—¿Qué hacemos?

Syd miró atrás, el monstruo de niebla estaba a menos de cien metros y se acercaba más.

—La sal, el agua de Florida, todo. Vamos a usarlo todo. No podemos escapar corriendo. Tenemos que enfrentarlo.

—¿Hablas en serio? ¡Esa cosa nos va a tragar de un bocado!

—Syd, ya no podemos pedalear. Chunk está a punto de morir de un ataque al corazón, ¿y tú quieres discutir? ¡Confía en mí!

Syd negó con la cabeza, pero se bajó de la bicicleta, sacando el resto de sus cosas para fantasmas. Lucely agarró el frasco de sal que estaba en la cesta de Chunk y dibujó un círculo enorme alrededor de ellas.

—Quédate aquí, mi nenita —le susurró a la gata.

Syd encendió velas y las puso en tantos lugares fuera del círculo como pudo. Cada una tenía un santo diferente representado en una pintura de acabado metálico.

Lucely le alcanzó el agua de Florida. Syd se mojó los dedos y dibujó la señal de la cruz en sus frentes. También salpicaron a Chunk.

El aullido se fue acercando. Las niñas se pararon dentro del círculo, cada una con un cazafantasmas en la mano, con el débil resplandor de Macarena y Benny en el interior de los frascos.

—Espero de verdad que esto funcione —dijo Lucely, tendiéndole la mano a Syd.

—Yo también.

—Miau —añadió Chunk.

Las niñas alzaron los cazafantasmas abiertos para enfrentar al monstruo que se aproximaba.

Un aullido atravesó la noche negra como la tinta, y la mano de Syd tembló en la de Lucely, que miró a su amiga y asintió, dándole un apretón. "Estoy aquí", pensó en decir, pero no pudo articular las palabras, pues el miedo no la dejaba. Sin embargo, Syd pareció entender, y una mirada confiada remplazó el terror en sus ojos.

El aire se volvió más frío. El aliento de Lucely salía en diminutas bocanadas que parecían malvaviscos. Deseaba más que nada que sus luciérnagas estuviesen bien. Habían estado tanto tiempo lejos del árbol que dudó que les quedara energía para ayudarlas. Cerró los ojos y las imaginó revoloteando alrededor de ella y de Syd, creando una burbuja impenetrable de luz que las protegiera.

La criatura estaba ante ellas ahora, más alta que el árbol más alto de los alrededores. A Lucely le hizo falta mucho autocontrol para no echar a correr.

—No salgas del círculo —le dijo Syd apretando los dientes—. Es la mejor opción.

No había acabado de decir esto cuando el monstruo de niebla se lanzó sobre ellas, chillando. Su aullido se confundió con los gritos de las niñas y el maullido de la gata.

Sin embargo, con el mismo ímpetu con el que había llegado, siguió de largo. Las niñas miraron hacia atrás al unísono y luego se miraron la una a la otra. La criatura dio la vuelta, pero al llegar al círculo se dividió en dos, como si la protección de este la hubiera cortado a la mitad. Gritó de forma espeluznante, pero no podía penetrar el círculo.

Chunk había escapado de la cesta y le bufaba ahora al monstruo, erizando el pelaje para parecer más grande.

El monstruo de niebla voló tan alto que Lucely apenas

podía verlo. Entonces, con un grito terrible, se volvió a lanzar sobre ellas.

Lucely gritó también y se aferró a Syd con los ojos cerrados, tan aterrorizada que no atinó a hacer otra cosa que quedarse inmóvil. No obstante, el monstruo tampoco pudo entrar esta vez en el círculo. Abrió la asquerosa boca, con sus gruesas venas verdes destellando como si hubiera un relámpago en su interior, y rugió como un león lo más cerca que podía de sus caras. El olor que despedía era suficiente para aniquilar a todo un equipo de fútbol. Se volteó con la fuerza de un tornado y se marchó en dirección al cementerio.

Una quietud escalofriante se apoderó del lugar. Lucely mantuvo los ojos medio cerrados hasta que un suave maullido de Chunk le dio valor para abrir un ojo. Syd todavía estaba aferrada a ella con todas sus fuerzas.

—Syd, creo que se fue —susurró.

Su amiga abrió los ojos y echó un vistazo. Estaban solas en medio de la noche negra como la boca de un lobo.

Todo en el cuerpo de Lucely le decía que corriera, que se fuera a casa. Sin embargo, si el monstruo las había atacado, era por alguna razón. Quizás protegía algo.

—Deberíamos regresar e inspeccionar la iglesia —dijo Syd, leyéndole la mente.

Lucely asintió, aún demasiado aterrada como para articular palabra.

Volvieron a pasar por debajo de la cerca del cementerio y caminaron en silencio hasta la iglesia. Hasta Chunk estaba quieta. Lo único que se escuchaba era el suave murmullo de la brisa nocturna y de vez en cuando el crujido de las ramas o las piedras bajo sus pies. A Lucely se le contrajo el estómago de la ansiedad cuando oyó un carraspeo a su lado.

—¡Ay! —Dio un paso atrás y se volteó hacia el lugar de donde había salido el ruido.

Había un hombre parado en medio de la oscuridad. Vestía un traje elegante que parecía de algún siglo pasado y sostenía un sombrero sobre el pecho.

—Disculpe, señorita. Siento haberla asustado. ¿Ha visto usted mis dientes?

El hombre, o más bien el fantasma, sonrió y pudieron ver que le faltaban varios dientes.

Lucely le agarró la mano a Syd y se dio la vuelta para echar a correr, pero el fantasma se puso delante de ellas con una expresión muy relajada en el rostro.

—Es bastante descortés marcharse cuando alguien

hace una pregunta, cariño. Solo les pido que me ayuden a encontrar mis dientes perdidos. Soy el juez John Stickney, 1882. Encantado de conocerlas.

—Eh, yo me llamo Lucely, y ella es Syd.

La niña pensó que si este fantasma hubiera querido hacerles daño, ya lo habría hecho. Además, no le transmitía la sensación rara, terrible y fría del monstruo de niebla. Se parecía más a sus luciérnagas, muerto y ligeramente translúcido.

—¿Nació usted en 1882?

—No, ese fue el año en que morí. —Un gesto de aflicción cruzó la cara del juez—. ¡Y esos terribles ladrones me robaron mis dientes de oro! ¿No los habrán visto?

Estaba tan desesperanzado y parecía tan sincero que Lucely realmente sintió pena por no saber dónde estaban sus dientes. Syd se encogió de hombros.

—Disculpe, juez John, no tenemos idea de dónde puedan estar sus dientes.

—Pero estaremos atentas por si los vemos —añadió Lucely.

—Eso sería maravilloso. —El juez aplaudió con sus manos translúcidas—. Es mucho más de lo que nadie me ha ofrecido hasta ahora. Normalmente la gente solo grita y se va corriendo. No tengo idea de por qué.

—Sí, es un misterio —dijo Lucely.

—Me iré ahora, pero recuerden avisarme si hallan mis dientes. Es muy difícil lucir respetable sin ellos, y tengo que ir a una fiesta con las hermanas Pancake.

—¿Las hermanas Pancake? —preguntó Syd.

—Sí, un nombre inusual, pero, ¿qué se puede esperar de unas brujas? —dijo el juez, riendo—. Hasta la vista, Syd y Lucely. Espero verlas pronto y que me traigan noticias de mis dientes.

Dicho esto, el juez se fue flotando y desapareció entre los árboles.

—Eso fue un trece en la escala del uno al diez de cosas raras —dijo Lucely.

—Yo iba a decir diez, pero trece suena más justo.

—Al menos no trató de matarnos.

—O de arrancarnos los dientes —dijo Syd.

Un trueno retumbó sobre sus cabezas. Cuando echaron a andar, el destello de un relámpago iluminó el cielo. Enseguida llegó la lluvia, empapándolas al instante. Agacharon la cabeza y corrieron, salpicando agua y fango. Sin embargo, mientras más avanzaban hacia la iglesia, más parecía que esta se alejaba. Lucely dejó escapar un suspiro de frustración y una nubecita blanca le salió de la boca. Ella y Syd se miraron.

—¿Donde está Chunk? —preguntó de pronto Lucely.

—Yo pensé que estaba contigo. —La voz de Syd sonaba alarmada.

Lucely negó con la cabeza. Se le estrujó el corazón al pensar en Chunk perdida y sola en el cementerio.

—Ay, Dios mío. —Syd salió corriendo.

Comenzaron a llamar a la gata, pero el viento y la lluvia no las dejaban ver ni oír nada.

Lucely se dio cuenta de que Syd estaba desesperada. El cementerio estaba muy oscuro y la gata podría estar escondida en cualquier parte. Agarró a su amiga del brazo y la haló hasta un olmo gigante. Bajo las ramas no se sentía tanto el viento.

—Pobre Chunk. No puedo creer que la hayamos perdido —dijo Syd, llevándose las manos a la cabeza.

—La encontraremos. No te preocupes.

Justo entonces, Lucely vio un destello blanco detrás de la iglesia.

—Vamos —dijo, y haló a Syd en esa dirección, con la esperanza de que fuera la luz de la luna reflejada en los ojos de la gata.

CAPÍTULO QUINCE

CUANDO TENÍA DIEZ AÑOS, Lucely vio una película de horror que, ahora que lo pensaba, no era tan horrible. Sin embargo, tuvo pesadillas durante una semana. Cada noche, el monstruo de la película se le aparecía en sus sueños, con sus relucientes dientes de sierra, sus ojos rojos y sus horribles garras negras. Las pesadillas continuaron hasta que Mamá rezó una plegaria para protegerla y le enseñó a cruzar las zapatillas delante de la cama antes de dormir. Sin embargo, habría cambiado sin pensarlo el monstruo de sus pesadillas por lo que fuese que las miraba ahora desde arriba.

Todo en esta criatura era aterrador. Su masa descomunal estaba cubierta de escamas como un dragón, solo que transparentes, y los ojos tenían un resplandor verde y rojo. Parecía estar buscando algo —¿a ellas, quizás?— y exhalaba ráfagas de llamas blancas, quemando los árboles alrededor.

Lucely agarró a Syd de la mano y ambas salieron corriendo hacia la iglesia.

—¡Ay, Dios mío! ¡Ay, Dios mío, vamos a morir! —gritaba Syd mientras corrían.

—¡No digas eso! Los *Goonies* nunca dicen esa palabra. ¿Recuerdas?

Lucely trató de abrir una de las puertas de la iglesia, pero estaba cerrada.

—¡Vamos! —dijo, y se pusieron a buscar otra entrada.

La tierra tembló bajo sus pies y la mirada del espíritu dragón que les pisaba los talones envió una fría oleada de terror que atravesó a Lucely. Lenguas de fuego lamían el suelo a su alrededor, mientras ella intentaba abrir otra puerta. Esta no estaba cerrada, pero era demasiado pesada. Las niñas agarraron cada una una manija de la puerta y halaron tan fuerte como pudieron.

—¡RAAAAAAAAAA!

Ahora el monstruo estaba del mismo lado de la iglesia que ellas, y cada vez más cerca. Les lanzó una oleada de fuego que le quemó el borde de la chaqueta a Lucely.

—¡Syd, cuando cuente hasta tres hala tan fuerte como puedas!

Syd asintió frenéticamente, sudando a chorros mientras halaba.

—¡Uno, dos, tres! —gritó Lucely.

Justo cuando el dragón abría la boca y apuntaba de nuevo hacia ellas, la puerta chirrió y se abrió lo suficiente para permitirles entrar. Lucely cerró la pesada puerta de un golpe y pasó con fuerza el grueso cerrojo de metal. Las dos niñas se acurrucaron bajo uno de los bancos del fondo de la iglesia, tratando de controlar la respiración.

—¿Qué hacemos ahora? —susurró Syd, secándose el sudor y enjugándose las lágrimas.

—No creo que ese dragón pueda entrar —dijo Lucely—, pero es mejor estar preparadas por si acaso.

Hicieron un círculo de sal alrededor de ellas y encendieron tantas velas como pudieron.

La entrada de la iglesia se estremeció con violencia; el espíritu dragón parecía estar embistiendo las puertas una y otra vez, astillándolas. Del otro lado se escuchaban aullidos de rabia.

—Nos va a comer vivas —dijo Syd—. Fue un placer conocerte, Luce.

—No vamos a morir. Ni esta noche, ni de esta manera —dijo Lucely con más convicción de la que sentía.

No iba a dejar que Syd sucumbiera al miedo. Era lo menos que podía hacer. Su amiga asintió y sacó los cazafantasmas de su cartera, le dio uno y sostuvo el de ella abierto.

—Ponlo en el suelo, justo fuera del círculo —dijo.

—¿Y Macarena y Benny? —preguntó Lucely.

Había estado tan ocupada con su propio terror que los había olvidado por completo. No creía que ninguna de sus luciérnagas hubiera estado antes tanto tiempo lejos del árbol y sintió una punzada en el corazón al pensar que esto podría hacerles daño.

—Estamos bien. —La voz de Macarena flotó hacia Lucely.

—¡Hacía veinte años que no me divertía tanto! —dijo Benny desde su cazafantasmas.

—Tal vez el agua de Florida los proteja a ellos también —sugirió Syd.

—Eso espero —dijo Lucely—. Bueno, ¿qué vamos a hacer si no funciona?

—Escondernos. O correr. Cualquier cosa menos quedarnos aquí y que nos asen en una parrilla.

—¡RAAAAAAAAAA!

El grito del monstruo resonó por toda la iglesia. Ya asomaba media cabeza a través de las puertas astilladas y de su boca brotaron llamas que quemaron algunos bancos. Las niñas echaron a correr, escapando por un pelo del ataque del monstruo y dejando atrás los cazafantasmas. Se recostaron contra la pared del fondo con el dragón del otro lado y los cazafantasmas y el círculo de sal en el centro. No se veía la salida por ninguna parte.

—Tenemos que agarrar los cazafantasmas —dijo Lucely.

—¿Hablas en serio? Esa cosa ya tiene media cabeza adentro. ¡Un empujón más y seremos merienda de dragón!

—Si recuperamos los cazafantasmas, *quizás* tengamos una oportunidad; si no lo hacemos, estaremos completamente desvalidas y seremos devoradas cuando nos encuentre. Además, no podemos abandonar a las luciérnagas. —Lucely miró fijamente a Syd.

—Está bien, pero vamos juntas —dijo esta.

Lucely le sonrió a su amiga y se tomaron de la mano otra vez.

—¡Este dragón va a desear no haberse metido en problemas con Lucely Luna y Syd Faires!

Del lado opuesto de la iglesia estalló una granizada de madera y piedras. La cabeza del dragón ya se asomaba por completo y soltaba humo por las enormes fosas nasales. La bestia rugió cuando Lucely y Syd trataron de esconderse detrás del órgano. Las niñas se asustaron y cayeron sobre las enormes teclas. Por los tubos salió el sonido de una nota alta, desafinada, que llamó la atención del dragón, el cual se volvió hacia ellas y escupió con fuerza otro chorro de llamas.

—Agáchate —gritó Lucely.

Ambas se lanzaron al suelo, escapando del fuego por un pelo.

—Comprendido, nada de ruidos altos —susurró Syd.

Lograron alcanzar el banco más cercano al círculo de sal. Agarrándole la mano a su amiga, Lucely se lanzó a correr. Justo cuando llegaban al círculo, el dragón atravesó la puerta y se abalanzó sobre ellas. No tuvieron tiempo de reaccionar, ni de volver atrás; Lucely ni siquiera pudo mirar a Syd. Cerró los ojos y alzó las manos para defenderse, sosteniendo el cazafantasmas en alto. Entonces sintió una luz cálida.

—¡Atrás, bestia inmunda! —ordenó una voz familiar.

Lucely abrió los ojos y vio a Babette parada entre ellas y el dragón, apuntando con una varita al hocico de la criatura. El dragón retrocedió haciendo una mueca; luego trató de avanzar, pero, por primera vez, parecía asustado.

—Da otro paso y te convertiré en un nubarrón, iguana gigante —le espetó Babette.

Como para retarla, el dragón empezó a avanzar.

Babette dibujó un círculo en el aire con la varita y del monstruo brotaron ondas de luz púrpura. La bestia aulló, echando su maciza cabeza hacia atrás y atacando con otra lluvia de fuego, pero esta vez Babette avanzó en dirección al dragón con la varita en alto y las trenzas revoloteándole detrás. La capa se le encrespaba por los bordes como una barrera que protegía a las niñas.

—¡Retrocede, regresa al sitio de donde viniste! —La voz de Babette retumbó como si saliera de todas partes, y el órgano empezó a sonar en armonía.

El dragón chilló y retrocedió, arrastrándose, tratando de huir de la mujer.

—¡Atrás! ¡Vuelve a las llamas!

De la varita brotaron llamas violetas que hirieron a la bestia entre los ojos. El dragón dejó escapar un último y sobrecogedor chillido y comenzó a quemarse.

—Oh, será mejor que no vean lo que sucede a continuación —dijo Babette.

El dragón rugió una vez más, tan alto esta vez que los vitrales se quebraron, provocando una granizada de todos los colores del arcoíris. Babette lanzó su capa púrpura sobre las niñas y las sumió en la oscuridad.

CAPÍTULO DIECISÉIS

BABETTE SE ALZÓ IMPONENTE ante Lucely y Syd, dando pasos de un lado a otro llena de rabia, mientras las niñas permanecían sentadas inmóviles en la sala de la casa. Si aún no estaban muertas, pronto lo estarían. La buena noticia era que Chunk no se había perdido. Estaba sentada en el escritorio de Babette y lucía tan decepcionada como la mujer.

Cada cierto tiempo, Babette se detenía, miraba a las niñas y negaba con la cabeza; o se detenía, las miraba y, abría la boca como para empezar a gritar. Luego seguía caminando sin decir una palabra. Lucely estaba convencida de que esto era una especie de tortura.

—Les voy a preguntar una sola vez —dijo Babette,

deteniéndose finalmente y dejando caer los brazos con una expresión de desconcierto—, y espero que me digan la verdad o iré directo a ver a sus padres. ¿Qué hacían ustedes en ese cementerio en medio de la noche?

Se quedó esperando, mientras Syd y Lucely intercambiaban miradas.

—Babette, te juramos que solo tratábamos de ayudar —dijo Lucely, alzando las manos.

—¿Cómo supiste dónde estábamos? —Syd le lanzó una mirada de sospecha a su abuela.

Chunk maulló.

—¿Chunk?

—Hay un montón de cosas que ustedes ignoran sobre esta ciudad y sobre mí, pero yo soy la que hace las preguntas ahora, señorita. Y, a menos que deseen ser convertidas en algo desagradable, les aconsejo que empiecen a hablar.

Syd tragó en seco.

—Sapos —le susurró a Lucely en el oído.

—Bueno, bueno, Babette. Lo voy a explicar todo. La culpa es principalmente mía —empezó diciendo Lucely.

—Yo ayudé —dijo Syd, orgullosa.

Babette le lanzó una mirada muy seria a su nieta, y esta se encogió.

—Todo empezó porque... —A Lucely le temblaba la voz; solo le había contado lo de las luciérnagas a Syd, pero ahora la cosa no estaba como para mentirle a Babette—. Mi abuela se enfermó. Quiero decir, ella... Es complicado.

Lucely respiró hondo, tratando de calmarse los nervios.

—Ay, mi niña, lo siento.

La cara de Babette se suavizó. La mujer se arrodilló ante Lucely y puso sus manos cálidas sobre los brazos de la niña.

—Yo solo quería ayudar, y entonces nuestro profesor nos habló de las brujas moradas y su libro de hechizos —continuó Lucely—. Pensé que podría haber algo en ese libro que ayudara a Mamá. Esto puede sonar raro, Babette, pero yo puedo ver a los fantasmas. A fantasmas de verdad, en mi casa. Ellos viven como luciér...

—¿Tú crees que yo no lo sé? —Babette cruzó los brazos, esbozando una sonrisa—. ¿Quién crees que cuidaba a tu padre cuando él tenía tu edad?

Esto tomó a Lucely por sorpresa, pero fue Syd la que habló primero.

—¿Qué? ¿De verdad? No sabía que tú fueras...

—Yo en tu lugar me callaba, Sydney Faires. —Babette la miró con el ceño fruncido—. Bien, Lucely, ¿qué decías de tus luciérnagas?

—Es que… últimamente todas han estado enfermándose y comportándose raro, así que cuando leímos sobre *El libro de lobos* en ese libro de historia que nos prestaste, tuvimos la esperanza de que, si encontrábamos las páginas que habían sido arrancadas, podríamos descubrir un conjuro que ayudara a revivir a las luciérnagas antes de que desaparecieran para siempre.

—Nada sucedió cuando recitamos el conjuro que encontramos —dijo Syd, apretándole la mano a Lucely—. Pero después empezaron todas esas apariciones.

—¿Ustedes recitaron un conjuro de *El libro de lobos* sin saber para qué era? —Babette empezó a caminar de un lado a otro nuevamente—. Por ahora, vamos a saltarnos el detalle de cómo tomaron mi libro sin mi consentimiento, pero tengan la seguridad de que Babette nunca olvida. Ahora bien, ¿recuerdan el nombre del hechizo que recitaron?

Las dos niñas bajaron la cabeza.

—Creo que se llamaba "Conjuro para despertar a los durmientes". —La voz de Syd sonó como la de un ratón acorralado—. Tenemos la página aquí.

Sacó el libro de la mochila y se lo dio a su abuela. Babette lo hojeó hasta llegar a la sección arrancada y encontró el conjuro doblado metido en el lomo. Su rostro palideció al echarle un vistazo. Dobló el papel rápidamente y cerró el libro.

—Bueno, la verdad es que no estoy nada contenta de que hayan traicionado mi confianza. Ustedes saben que no les está permitido sacar cosas fuera de esta casa sin mi permiso. Sin embargo, me alegra que estén a salvo. Tienen suerte de estar vivas, pero eso complica las cosas.

—¿Estar vivas? —Los ojos de Syd crecieron el doble de su tamaño normal.

—No, no, no. —Babette se irguió—. Me refiero al conjuro: el hecho de que *ustedes* lo hayan hecho significa que *solo ustedes* pueden deshacerlo.

—¿Qué podemos hacer, abuela?

Babette guardó silencio por un momento.

—Niñas, debieron acudir a mí primero. Saben que pueden confiar en mí... especialmente tú, Syd. Sin embargo, ahora mismo no se puede hacer otra cosa que buscar el contrahechizo y tratar de corregir el error. Voy a ayudarlas. —Babette sonrió y aplaudió—. Pero, primero, les voy a enseñar cómo se caza un fantasma.

CAPÍTULO DIECISIETE

SEGÚN BABETTE, había cuatro reglas fundamentales para cazar fantasmas:

1. Estar preparado.
2. No ir solo.
3. Respetar a los muertos.
4. Llevar un gato.

La mujer obligó a ambas niñas a repetir estas cuatro reglas tantas veces que Lucely estaba segura de que nunca las olvidaría mientras viviera.

—¿Qué diablos es esto? —dijo Babette, sosteniendo uno de los cazafantasmas caseros de Syd con su estilizado dedo meñique, como si estuviera lleno de caca de gato.

—Es un cazafantasmas —dijo Syd.

—¿Un qué? Niña, esto no es más que un frasco pintado de negro. —Babette arqueó una ceja y caminó hacia el fondo de la tienda—. Yo sí tengo algo eficaz. Síganme.

Sacó un libro de la estantería y se abrió la puerta secreta. Lucely y Syd la siguieron hasta el cuarto oscuro, donde Babette tiró de una cadena que colgaba sobre su cabeza. En vez de una lámpara, sin embargo, se encendieron velas esparcidas por todos lados.

—Genial —susurraron las niñas.

La habitación daba la impresión de ser un lugar sagrado, no el tipo de lugar donde uno grita o habla en voz alta, aunque se sentía igual de espeluznante que cuando ellas habían entrado solas, alumbrándose con las linternas de sus teléfonos; de hecho, ahora resultaba más espeluznante. Había calaveras y velas derretidas en una mesa junto al librero; raíces y hierbas apestosas colgaban de cada centímetro del techo, y casi le rozaban la cabeza a Babette.

—¿Dónde dejé ese...? ¡Ah, aquí está! —La mujer agarró con ambas manos un libro que lucía muy pesado—. Hacer magia es como cocinar: el resultado depende de la receta, los ingredientes, de la confianza que uno tenga en sí mismo y de los utensilios.

Salió del cuarto y las niñas la siguieron. Babette colocó el libro con cuidado sobre la mesa de la biblioteca y lo abrió.

—Este es el Maestro espectral 4000. Está hecho de cuero a prueba de espectros y puede capturar hasta cien fantasmas antes de que haya que depurarlo —dijo.

—Yo no sabía que Babette era una cazadora de fantasmas. —Lucely negó con la cabeza, asombrada.

—Hum. *No* soy cazadora de fantasmas ni científica. Soy una bruja. Puede que el Maestro espectral 4000 tenga un nombre un poco técnico, pero está muy ligado a la magia. Pensé que podría venderlo en eBay algún día, y necesitaba darle un nombre pegajoso.

El libro tenía tres botoncitos, capturar, retener y liberar, y una luz se encendía debajo de cada palabra. En el lomo tenía un cerrojo que parecía pesado y una manilla.

—¿Cómo funciona? —preguntó Lucely.

—Tienes que tratar de que el fantasma flote sobre él mientras el mecanismo de captura esté encendido —explicó Babette, señalando el botón—. Suena sencillo, pero el botón solo se mantiene encendido treinta segundos, luego de lo cual la trampa se apaga y no vuelve a funcionar hasta pasados dos minutos.

—¿Por qué lo hiciste tan complicado? —preguntó Syd.

—Para empezar —replicó Babette molesta—, retener la magia es ya bastante difícil, no quieras imaginarte cómo es cazar un fantasma. Además, esto es mejor que ese inservible frasco que ustedes estaban usando. Este *sí* funciona, solo que tenemos que ser inteligentes a la hora de poner la trampa.

—Disculpa, ¿dijiste *tenemos*? —se inquietó Syd.

—Sí, *tenemos*. No voy a dejar que busquen el resto de esos conjuros ustedes solas. Es peligroso. Necesitan una guía, alguien que sepa lo que hace. Además, estoy vieja y aburrida. Ahora, déjenme ver qué más tienen en esa mochila.

Syd vació la mochila cuidadosamente y Lucely se sacó el amuleto del bolsillo y lo puso sobre la mesa junto al otro frasco, el agua de Florida, la sal y las velas. Babette examinó los amuletos, los sopesó, se los acercó a la oreja, los sacudió y los puso otra vez sobre la mesa. Hizo un gesto de aprobación y se puso a analizar los otros objetos.

—Todo está bien, excepto los frascos —dijo.

—Qué manía con los frascos —comentó Syd, frunciendo el ceño.

—Si hay solo un ejemplar del Maestro espectral 4000, ¿cómo se supone que ayudemos nosotras?

—Cada una tendrá el suyo, pero no se va a parecer a este. —Babette se sentó con gesto triunfal; el largo vestido revoloteaba a sus pies mientras se acomodaba en su silla con patas en forma de garras—. La mejor magia siempre contiene un elemento personal. Este era mi libro favorito cuando era niña, y su poder radica no solo en el hechizo que recite, sino también en el significado que tiene el libro para mí. Puedo hacer lo mismo para ustedes dos con objetos que tengan un valor sentimental.

Lucely sonrió. Ya sabía qué objeto elegir, pero tendría que ir a su casa a buscarlo. Syd, por su parte, parecía desconcertada.

—Literalmente, lo único que me importa es Luce, y quizá Chunk, pero no son *cosas*.

Babette agarró a la gata, que soltó un quejido, y la sostuvo frente a la cara de Syd.

—El amuleto que le pusiste a su collar sirve.

—¿No se hará daño? —preguntó la niña.

Babette echó la cabeza hacia atrás y se rio.

—Primero te lastimas tú que Chunk.

Lucely y Syd se miraron.

—¿Chunk es… mágica? —preguntó Lucely—. Podría decirse que fue ella quien vino a decirte dónde estábamos cuando se escapó.

Lucely se sintió tonta sugiriendo eso, pero tenía sus sospechas. La gata había desaparecido en el cementerio y poco después Babette había acudido a salvarlas, como si le hubieran avisado.

—Supongo que lo pueden ver de esa manera. Digamos solo que todos mis gatos tienen algo especial, así que no te preocupes por Chunk. En todo caso, me siento más aliviada si ella está con ustedes.

—Genial. ¿Lo escuchaste, Chunk? Tú eres mi compinche.

Syd le acarició la barbilla a la gata, y esta inmediatamente se dio vuelta para mostrar la barriga, ronroneando.

—Deberíamos conseguirle una camiseta graciosa o algo para reforzar su nueva condición de cazadora de fantasmas —dijo Lucely.

—¡Ay, a lo mejor puedo pedirle a mi mamá que le haga una chaqueta de cuero para que parezca que pertenece a una pandilla de motociclistas!

—Concentración. —Babette dio unas palmadas, sacando un libro de la pared que pronto reveló otro compartimento secreto en el lado opuesto de la habitación—. Esto no debe saberlo nadie. ¿Entendido? —Les echó una mirada de advertencia.

Las niñas asintieron. Babette se deslizó hacia el otro lado del cuarto, metió la mano en el pequeño compartimento y sacó un pergamino enrollado. Lo puso sobre la mesa y le colocó una piedra en cada extremo para mantenerlo abierto.

—Esto es un mapa de 1832 de San Agustín en el que está señalado cada cementerio de la ciudad —dijo—. Mientras más viejo sea el cementerio, más probable es que contenga una considerable cantidad de magia, y más probable aún que encontremos allí las páginas que faltan. El plan es el siguiente: vamos a registrar cada cementerio antes de la luna llena de Halloween. Para cuando llegue esa noche, los espíritus que están en la ciudad probablemente tengan tanta fuerza que no seremos capaces de detenerlos, por muchos cazafantasmas que yo haga.

—¿Qué pasará con los fantasmas que cacemos? ¿Se quedarán en los cazafantasmas para siempre? —preguntó Lucely.

—No, los enviaremos de vuelta al inframundo. Tengo un conjuro para eso, no se preocupen. O, bueno, lo tendré.

—¿No tienes el hechizo todavía? —preguntó Lucely.

—Hay hechizos que podemos usar, pero también puedo crear uno yo misma. Los hechizos que salgan de mi imaginación serán más poderosos. Necesitaré un objeto que tenga valor sentimental para ti, Luce, algo que pueda convertir en un verdadero cazafantasmas. No todos los fantasmas que hay en la ciudad son necesariamente *malignos;* algunos solo están desviados, perdidos. Son los espíritus del cementerio los que me preocupan. —Babette se frotó la barbilla como si estuviera pensando; juntó las manos y los ojos le brillaron al hacerlo—. ¿Saben cómo se atrae un fantasma?

Lucely y Syd negaron con la cabeza.

—Luz.

Babette trazó un arabesco en el aire con la mano y una pequeña voluta de luz azul apareció sobre la punta de sus dedos. Mientras hablaba, movía los dedos y la luz danzaba alrededor de sus estilizadas manos.

—La luz mágica atraerá un espíritu que se haya extraviado de su camino.

—Es la cosa más genial que he visto en mi vida —dijo Lucely, abriendo mucho los ojos.

—Mi familia es la más rara del mundo. Me encanta. —Syd cerró los ojos y suspiró dramáticamente.

—Voy a reforzar el poder del collar de Chunk para ti, Syd. Lucely, mañana por la mañana podemos ocuparnos de tu objeto. ¿Sabes ya cuál vas a usar?

La niña asintió.

—Bueno, tendré todo el equipamiento necesario mañana por la mañana. Cada una llevará una linterna, un cazafantasmas y un amuleto. —Les agarró las manos a Lucely y a Syd—. Debemos tomar todas las precauciones para que no salgan lastimadas, niñas. Sus padres me matarían. Sin embargo, tenemos que ayudar a Lucely y salvar la ciudad.

—No puedo creer que vayamos a ser una verdadera pandilla de cazadoras de fantasmas —dijo Lucely.

—*Pandilla* es una buena palabra —dijo Babette—. No he estado en ninguna desde que era una niña.

—Creo que *patrulla* suena mejor —dijo Syd, arrugando la nariz.

—Magnífico, *Patrulla Fantasma* es el mejor nombre —sonrió Babette.

—¿Finalmente vas a enseñarme a ser una bruja, abuela? Hace años que te lo estoy pidiendo.

—Y hace años que te he estado repitiendo que ser una bruja no es algo que uno pueda aprender así como así. Si algún día das señales de tener magia, entonces lo haré.

—Aaah. —Syd dejó caer los hombros.

—¿Qué haremos cuando lleguemos al cementerio? —preguntó Lucely.

—Vamos a preparar campanas de cristal especiales que detecten cualquier actividad fantasmal y crearemos un perímetro de seguridad tan grande como podamos mientras buscamos. Los cristales nos permitirán saber si algo se acerca para poder prepararnos para un enfrentamiento. Vamos a registrar cada mausoleo y algunos sitios ocultos que conozco en esta área.

—¿Y si alguno de los malos se nos acerca? —Syd arqueó una ceja.

—Abran las trampas, aprieten el botón y corran como si las persiguiera un enjambre de avispas —dijo Babette, riendo.

—No podemos dejar que te enfrentes sola a ellos —dijo Lucely.

—Pues sí pueden, y así lo harán, o no hay trato. —Esta vez Babette les habló con más firmeza.

—Necesitamos algo mejor que "correr" como defensa. ¿Y si tus conjuros no funcionan o los fantasmas te derrotan? ¿Entonces qué? —preguntó Syd.

Babette suspiró, con evidente exasperación.

—Ya pensaré sobre eso, pero es un buen argumento, nieta mía. Tengo una idea, no sé si te gustará. —Babette se volvió hacia Lucely—. ¿Podrías traer algunas de tus luciérnagas? Puede que tu capacidad de vidente se refuerce con ellas a tu alrededor.

—¿Vidente? —Lucely arqueó una ceja.

—La habilidad de ver el otro lado, de ver los espíritus. Ahora mismo hay un incremento de poder sobrenatural a causa del conjuro, pero normalmente la gente no sería capaz de ver más allá del velo. Tú puedes. Es un don.

—Mi papá... me dijo que él podía verlos también cuando era más joven —dijo Lucely.

—Los dones y las maldiciones normalmente se transmiten —sonrió Babette.

—Lucely es muy rara, por eso es mi mejor amiga —dijo Syd, hinchando el pecho, orgullosa.

—Sí, bueno, tal para cual —dijo Babette, agitando las manos—. Como iba diciendo, Lucely, ¿estarías dispuesta a traer algunas luciérnagas cuando vengas?

Lucely se mordió el labio.

—Mientras no les pase nada... Pero, ¿realmente crees que puedan ser de ayuda?

Babette abrió mucho los ojos.

—Serán capaces de luchar, espíritu contra espíritu, para protegernos y hacer que los fantasmas retrocedan, devolviéndolos a sus lugares de descanso.

—¡Vaya! —dijeron las niñas a coro.

—Y yo que pensé que solo servían como únicos amigos de Lucely, aparte de mí —bromeó Syd.

Lucely le dio un empujoncito juguetón.

—Cállate, Syd. Para mí las luciérnagas nunca han sido como los fantasmas aterradores de los cementerios. Quiero decir, no dan miedo, por lo general. Por lo menos hasta hace unas semanas. ¿Importará a cuáles luciérnagas traigo?

—Si hay algunas que crees que puedan ser especialmente útiles en situaciones difíciles, tráelas —dijo Babette.

Lucely asintió, pensando en cuáles de sus luciérnagas serían las mejores. Podría traer a Celestino, el tío que hacía trampas explosivas. Tía Milagros podría meter el temor de Dios en el alma de cualquiera. Por supuesto, traería a Frankie, que ya las había salvado una vez. Anotó los nombres de todos los espíritus que pudieran servir de ayuda. Cuando terminó de apuntarlos, tenía quince nombres en la lista.

—¿Crees que será suficiente? —le preguntó a Babette, enseñándosela.

—Creo que es perfecta. —La anciana sonrió—. Y, Lucely… hay algo que necesito decirte. A ti también, Syd. —Babette sonaba seria—. El hechizo que encontraron no era de mi libro. Quiero decir, lo era, pero alguien lo alteró. Corrompieron el conjuro, lo convirtieron en un maleficio mortal.

—¿Quién haría algo así? —preguntó Syd.

Lucely miró a su amiga y se aclaró la garganta.

—Vimos las iniciales E.B. escritas junto al conjuro. ¿Sabes a quién pertenecen?

Babette permaneció callada un largo rato, con la mirada perdida.

—Hum… sé de alguien, pero murió hace mucho. Se llamaba Eliza Braggs y era miembro de las Hijas de la Revolución Estadounidense. Sentía un odio acérrimo a todo lo que ella consideraba "sobrenatural". Acusó públicamente a las brujas moradas de embrujar a su hijo, así como de otros sucesos inexplicables, y en ninguno de los casos se probó la culpabilidad de aquellas. Entonces reunió a una turba de gente y expulsó al aquelarre para siempre de San Agustín. —La atención de la anciana se dirigió de nuevo a las niñas—. Lo que hizo Eliza fue cruel, pero hace mucho tiempo que murió.

Un silencio invadió la habitación y Lucely se dio cuenta de que no le habían contado a Babette lo del alcalde Anderson y lo que habían escuchado en el ayuntamiento.

—¿Es posible que ella esté detrás de todo esto? —preguntó—. ¿Para vengarse o algo parecido?

—¿Qué quieres decir? —preguntó Babette.

—Este... espiamos un poco al alcalde Anderson durante nuestra excursión escolar. —Lucely se preparó para recibir un grito, pero Babette solo asintió para que siguiera—. Lo vimos la primera noche en el cementerio cuando recitamos el conjuro, al menos estábamos bastante seguras de que era él. Entró al mausoleo cuando nosotras salimos.

—Así que decidimos escuchar detrás de la puerta de su oficina en el ayuntamiento —agregó Syd—, y oímos un grupo de voces tramando una especie de ataque durante la fiesta de Halloween este fin de semana.

Syd sacó la grabadora de la mochila, apretó el botón de reproducir y escucharon la conversación del alcalde.

— Y puede que fuese el miedo que me provocaba alucinaciones —dijo Syd—, pero estoy casi segura de que el monstruo de niebla se le parecía mucho antes de convertirse en Drago.

—¿Drago? —Babette arqueó una ceja.

—Es un apodo cariñoso que le puse al monstruo dragón. No se puede negar que era muy tierno.

La mujer dejó escapar una exclamación exasperada.

—Trata de no encariñarte con los monstruos que quieren matarnos, Syd. Eso me preocupa. Ninguna precaución que tomemos será suficiente. Aléjate del alcalde Anderson. Aunque no parece ser un tipo malo, es posible que esté metido en algo nefasto, tenga o no que ver con Eliza Braggs. No espíen más, es demasiado peligroso.

La mirada de Babette no dejaba cabida para negociar.

—Si detrás de esto *está* Eliza, tiene que haber una razón por la cual ella dejó que ustedes dos, una con el don de la videncia y la otra con posible, solo *posible,* vínculo con la magia, recitaran el hechizo. —Babette miró a Syd, que estaba radiante—. Quienquiera que esté detrás de esto, parece haberlo planeado todo, así que tengan mucho cuidado y no confíen en nadie.

CAPÍTULO DIECIOCHO

AL DÍA SIGUIENTE MUY TEMPRANO, Babette llevó a Lucely a su casa para que recogiera el frasco de Mamá que estaba al lado de su cama. Para la niña no había nada más valioso en el mundo.

Antes de irse, Babette recitó un conjuro de protección para el sauce.

—La magia que contiene este árbol es muy antigua —dijo—, mucho más poderosa que cualquier otra cosa que yo sea capaz de conjurar. No obstante, espero que esto ayude un poco.

Unas horas más tarde, Babette llamó a las niñas a la sala de su casa y dejó caer una caja en el suelo frente a ellas.

—Hice algo para ustedes.

Lucely miró dentro de la caja y se quedó sin aliento.

—Anda, agarra una —dijo Babette.

La niña escogió una de las chaquetas negras de mezclilla y se la puso. En la espalda tenía cosido el parche de un fantasma con las palabras "Patrulla Fantasma" bordadas en letras púrpuras.

—¡Esto es súper genial! —dijo, mirándose en un espejo de cuerpo entero que había en la sala.

Syd sostuvo su chaqueta.

—Es la cosa más hermosa que he visto jamás.

También había una para Chunk, hecha a la medida de la gata.

Babette fue la última en ponerse la suya, y con sus *jeans* oscuros, su camiseta negra y sus largas trenzas grises, a Lucely le pareció el ser más fascinante que había visto en toda su vida.

—Hay más —dijo la mujer, alcanzándole el frasco a Lucely y la gata a Syd.

El frasco tenía un ligero resplandor y olía a rosas secas,

y el amuleto resplandecía en el cuello de la gata, que ronroneaba mientras Syd lo inspeccionaba.

—Vamos, necesitamos una foto —dijo Babette, instalando su cámara.

Posaron con sus respectivos cazafantasmas, Chunk sentada en medio de ellas en el suelo. Lucely puso una expresión dura y, cuando examinaron las fotos, resultó que todas hicieron lo mismo. Parecían una muy peculiar pandilla de motociclistas.

Un sentimiento cálido invadió a Lucely: el sentimiento de pertenecer. También amor, pues sentía que empezaba a ser parte de una familia más grande, como si Babette fuera su propia abuela. En cuanto lo pensó, sin embargo, se sintió culpable. Después de todo, su propia abuela estaba enferma o embrujada, no debía olvidarlo.

El sol hacía rato que se había puesto cuando Syd, Babette y Lucely partieron hacia su primer destino en la vieja camioneta con paneles de madera en los laterales y una matrícula que decía MUERDEMIPOLVO.

Syd subió a la parte trasera y Chunk saltó al asiento junto a Babette.

—Parece que Chunk es la copiloto —dijo Lucely, deslizándose junto a Syd.

—Esa gata es más nieta suya que yo. —Syd la miró de reojo, ajustándose el cinturón de seguridad.

—Lo escucho y lo veo todo —dijo Babette.

Lucely abrió mucho los ojos y la boca fingiendo estar aterrorizada, y Syd se rio tan alto que Chunk bufó.

Babette puso la radio y una canción pop sobre mal de amores resonó en las bocinas. Todas, incluyendo a Chunk, que maullaba, cantaron a todo pulmón, dándose ánimos para la noche que se avecinaba. Cuando se acercaron al cementerio, Babette apagó la radio y un estado de ánimo sombrío las invadió.

"Respeta los espíritus", recordó Lucely y cerró los ojos, aferrando su cazafantasmas. Rezó en silencio a lo que fuera que estuviese observándolas y esperó que pudiera protegerlas, a ella, a Syd, a Babette y a Chunk, de lo que se les apareciese en el camino esa noche.

—Puse paquetes de sal en la riñonera de mi papá y rocié sal en sus zapatos —le contó Lucely a Syd—. Espero que sea suficiente para protegerlo de cualquier monstruo fantasma que quiera hacerle daño.

—Babette también le dio unos amuletos y otras cosas

para los turistas. Pensarán que es parte de la excursión, pero si llevan amuletos es menos probable que les pase algo malo. —Syd agarró a Lucely de las manos y se las apretó—. Luce, no podemos hacer mucho más de lo que ya estamos haciendo.

La perspectiva era desalentadora, pero el mero hecho de no estar tratando de resolver el problema ella sola la llenaba de esperanza, por el momento.

Una pesada niebla se había asentado cuando se acercaron a la entrada del cementerio Memorial de San Agustín, y tal parecía como si caminaran sobre una cama de nubes. Lucely se sintió agradecida por tener puesta la chaqueta y por que Babette la hubiera convencido de llevar *jeans* en vez de *shorts*.

Los barrotes del centro del portón de hierro estaban amarrados por una cadena que lucía muy pesada.

—Cierren los ojos —les dijo Babette a las niñas.

Lucely cerró los ojos, pero no del todo, y miró a Syd, quien también tenía un ojo un poco abierto para observar cualquier cosa que Babette fuera a hacer.

La mujer colocó las manos sobre la reja, creando un

suave resplandor púrpura. Tras unos segundos, el candado simplemente se abrió y la cadena reptó hasta un arbusto cercano como si fuera una serpiente.

—Ya pueden abrir los ojos del todo, chismosas —dijo Babette, mirando a las niñas con una ceja arqueada.

Lucely rio con nerviosismo y Syd abrió tanto la boca que casi le cabía una pelota de fútbol.

—Abue, me ofende que nunca me dijeras que podías hacer eso.

—Si me sentara a contarte todas las cosas que yo sé y tú no, nunca nos levantaríamos. Y ahora, andando.

Las niñas entraron al cementerio detrás de Babette. Durante todo el trayecto, Syd le iba susurrando a la abuela preguntas sobre magia, pero la mujer no le hacía ningún caso. Se detuvieron junto a un banco de cemento y Babette se volvió hacia ellas con su Maestro Espectral 4000 en la mano.

—¿Todas tienen su cazafantasmas? —Lucely alzó el frasco y Syd sostuvo con dificultad a Chunk, que se retorcía—. Pues bien, vamos a buscar ese conjuro.

Los rayos de luz de las linternas se interceptaban mientras caminaban con el mayor cuidado posible, tratando de no pisar ni una hoja seca. Syd llevaba a Chunk dentro del portabebés, y los bigotes de la gata le hacían cosquillas en la nariz, amenazando con provocarle un ataque de estornudos.

—Esta gata es extremadamente pesada —se quejó, aplastándole los bigotes al animal.

Llegaron al primer mausoleo. Babette usó nuevamente su magia de luz púrpura para abrir las puertas y se volteó a mirar a las niñas.

—¿Existe alguna posibilidad de convercerlas de que se queden afuera mientras yo busco adentro?

—Ni la más remota —dijo Syd.

—Babette, yo sé que estás más capacitada que nosotras, pero ya hicimos esto antes por nuestra cuenta —dijo Lucely, encogiéndose de hombros—. Además, es justo que ayudemos, puesto que todo esto es un poco culpa nuestra.

Babette resopló.

—¿*Un poco*? Ja, ja. Síganme —murmuró al penetrar en la cripta oscura.

En medio del panteón circular había un ataúd de madera con cierres y bisagras doradas. Babette recorrió la tapa con el dedo y después lo inspeccionó con la linterna. No tenía polvo, según pudo advertir Lucely.

—¿Por qué está tan limpio? —preguntó Lucely, sintiendo un escalofrío en los huesos.

—En efecto, ¿por qué será? —se preguntó Babette.

—Vamos a abrirlo —dijo Syd, señalándolo.

Babette negó con la cabeza.

—No creo que debamos. Percibo algo malo en este lugar.

—¿No estamos *buscando* algo malo? —preguntó Syd.

—Algo mágico, sí, pero no malvado. Creo que debería hacer un ritual de purificación aquí antes de…

—¡RAAAAAAAAAAAA!

Lucely agarró a Syd del brazo y ambas gritaron. Babette alumbró la cripta con la linterna.

—¿Quién está ahí? —preguntó.

—¡RAAAAAAAAAAAA!

Syd intentó correr hacia la puerta, pero Lucely la detuvo.

—No debes irte sola, ¿recuerdas?

—¡Entonces ven conmigo y salgamos de aquí!

—Esperen. Pónganse detrás de mí —dijo Babette—. Lucely tiene razón. Es peligroso.

Lucely avanzó a tientas en dirección a Babette, cuidando de no tocar el ataúd. La luz de su linterna de pronto se volvió tenue, sin brillo suficiente para atravesar la densa oscuridad que las rodeaba. Algo andaba definitivamente mal, muy mal.

—Tiene que haber algo oculto aquí —susurró Babette—. No debemos molestar a los espíritus, pero debemos reconocer las señales cuando se nos envían. ¿Tienen listos los saleros?

Lucely sacó el frasco con sal del bolsillo.

—Párense allá y hagan un círculo de sal alrededor de ustedes —dijo Babette—. Pase lo que pase, no salgan del círculo.

—Pero, abue... —comenzó diciendo Syd, mas se detuvo al ver la mirada de la mujer.

—¿Y nuestros cazafantasmas? —preguntó Lucely.

—Ténganlos a mano por si... por si la sal no es suficiente.

Lucely asintió, tratando de ser más valiente de lo que en realidad se sentía. La verdad era que en este momento daría lo que fuera por estar bajo sus sábanas, leyendo un libro sobre un niño mago, en lugar de estar viviendo una aventura en la que ese niño hubiera sido más útil que ella. Sin embargo, hizo lo que Babette le indicaba: pararse en medio de un círculo de sal junto a Syd y a Chunk, empuñando el cazafantasmas, dispuesta a cazar lo que se les acercara.

Algo frío atravesó la habitación y las linternas se apagaron, sumiéndolas en la oscuridad total. Syd apretaba frenéticamente el botón de la linterna, pero en vez de las luces, se encendieron velas alineadas a lo largo de todo el perímetro del mausoleo.

Lucely se frotó los ojos.

—¿Ustedes también ven velas por todas partes? —preguntó.

—Sí —asintió Syd—. No estoy asustada *para nada*.

Lucely no podía estar más nerviosa. Había crecido con espíritus, pero nunca en su vida había tenido una experiencia como *esta*.

Babette se volvió hacia ellas, iluminada completamente por la luz de las velas, con un dedo sobre los labios.

—Babette… —Una voz áspera llenó la habitación—. ¿Por qué has venido a turbar mi sueño?

Lucely se quedó petrificada. Sintió que Syd a su lado se sumía en un silencio mortal y buscó desesperadamente su mano, sin atreverse a dejar de mirar hacia delante.

—No quise molestarte. —La voz de Babette era clara, serena—. Solo buscábamos algo… Las hojas que le faltan a un libro.

—¿Un libro, dices? —La voz sonaba divertida—. Me da la impresión de que estás perdida. Esto no es una biblioteca.

—Es un libro especial, uno que contiene un conjuro: un conjuro para devolver a los muertos a su hogar.

Syd le apretó la mano a Lucely, y los ojos se le aguaron a esta del miedo.

—¿Por qué te ayudaría a enviarnos de vuelta si estamos pasándola fantásticamente aquí? —dijo la voz, riendo alocada.

Una ráfaga de frío golpeó a Lucely por la espalda y la lanzó al suelo. Las llamas de las velas crecieron tanto que casi tocaban el techo. La niña trató de levantarse, pero algo le sujetaba las piernas.

—¡Babette! —gritó cuando una figura compuesta de humo se abalanzó sobre ella, deteniéndose justo frente a su cara.

La figura no parecía humana, salvo por un par de ojos rojos y brillantes que la miraban fijamente, y una boca como una herida abierta que olía a muerte.

Lucely no podía mover los brazos ni las piernas, ni siquiera podía gritar para pedir auxilio. A su lado, Syd parecía paralizada. De pronto, la figura se tambaleó hacia un lado y un destello de luz púrpura la clavó contra la pared del fondo. La niña logró ponerse de pie y trató de levantar también a Syd, pero su amiga parecía estar en otro mundo.

—Syd, vamos, levántate —suplicó Lucely, tratando de levantarla del suelo.

Parecía imposible, no obstante. Entonces agarró el frasco de sal y redibujó el círculo para incluir a Syd en él.

—¡Regresa al círculo! —le dijo Babette, que luchaba contra el monstruo.

Lucely siempre había hecho lo que le decían; siempre había obedecido a su padre, siempre había tratado de ser buena. Ahora tenía que hacer lo contrario de lo que le pedía Babette. Sabía que, si no lo hacía, sería el final... para todas. Por esa razón, abrió su cazafantasmas y arremetió contra la masa giratoria. Lo que sintió le recordó el momento en que Mamá la había atravesado, solo que fue peor, mucho peor. Este espíritu estaba lleno de años y años de rabia y odio reprimidos, que ahora resurgían al atravesarla a ella. Solo le quedaba la esperanza de haber apretado a tiempo el botón de captura.

En la habitación estalló un ruido como el de una aspiradora que se atasca con un nudo de pelos. Lucely abrió los ojos. El espíritu maligno se había ido.

Sus piernas cedieron y cayó de rodillas.

—¿Estás bien? —preguntó Babette al llegar a su lado.

Estaba aturdida, pero asintió lentamente.

—¡Nunca vuelvas a hacer algo tan tonto, Lucely Luna! —Babette la abrazó con fuerza—. Aunque, reconozco que… eso fue impresionante. Sin embargo, me temo que aún haya más espíritus corruptos acechando por aquí. Puedo sentir su presencia. Vamos, no nos queda mucho tiempo.

Babette sacó algo de su bolsa y le salpicó la cara a Syd, quien despertó del trance.

—Me imagino que me perdí la mejor parte —dijo la niña.

—Ayúdenme a abrir esto —dijo Babette.

El gran ataúd se abrió con un chirrido. Dentro encontraron lo que quedaba de un esqueleto vestido con ropas mohosas, que sujetaba un frágil pedazo de pergamino enrollado en el puño.

CAPÍTULO DIECINUEVE

—ESO FUE UN DESASTRE —exclamó Lucely—. Podrían habernos matado.

Babette entró a la buhardilla llevando una bandeja con chocolate caliente y galletitas. La colocó en el centro de la mesa, junto a la cual la estaban esperando las niñas.

Todos los gatos de Babette estaban acostados en la cama de arriba de la litera, con sus cabecitas asomadas por encima de la barandilla, perfectamente alineadas.

—No creo que los fantasmas puedan matarte. Pienso que lo más que pueden hacer es poseerte y arrastrarte al inframundo —dijo Babette.

—Ah, muy bien. Eso es *muchísimo* mejor, abue —dijo

Syd, dándole un mordisco a una galleta y negando con la cabeza—. ¿Cuál es el plan, entonces? No creo que debamos ofrecernos de carnada de fantasmas toda la noche mientras tú buscas en cada ataúd de la ciudad.

—Ahora tenemos un mapa de espíritus, uno que ojalá nos guíe hasta el conjuro si seguimos las instrucciones.

—¿Qué instrucciones? —preguntó Lucely.

Babette sacó el papel enrollado de un bolsillo de su vestido y lo desplegó sobre la mesa. Las tres se sentaron en círculo para observar el mapa.

—Aquí. —La mujer señaló el puntito rojo que marcaba el cementerio Tolomato—. Creo que es aquí adonde debemos ir ahora.

Cuando salieron del cementerio Memorial de San Agustín, el punto que marcaba la ubicación de este en el mapa había perdido su color rojo y se había tornado café claro. El mapa no era muy detallado, pero Lucely se conocía San Agustín tan bien como sabía que la comida favorita de Syd eran los macarrones con queso.

—¿Crees que el mapa nos está señalando el próximo objetivo?

—Así parece —dijo Babette—. Solo esos dos sitios han sido marcados, lo cual significa que o bien van a aparecer más puntos rojos a medida que avancemos o bien las páginas perdidas están en alguna parte del cementerio Tolomato.

Cuando Babette empezó a enrollar el mapa, Lucely percibió un destello rojo en el borde, cerca del faro, pero cuando volvió a mirar ya no estaba. Chunk bostezó y se volteó boca arriba.

—Tienes razón, Chunk. Probablemente esté medio dormida.

—Escucha, abue. —Syd se puso de pie de un salto y agarró un puñado de galletas—. ¿Por qué no nos enseñas a luchar? No tienen que ser técnicas avanzadas ni cosas de brujas; ¡solo lo suficiente para patearle el trasero a un alcalde fantasma!

Al ver la mirada de Babette, Syd levantó los brazos en señal de rendición.

—Tú dijiste que las luciérnagas de Lucely pueden contraatacar. ¡Nosotras solo queremos ser de alguna ayuda! Además, la mayoría de los fantasmas que rondan por la ciudad vivían aquí, así que debes conocer a algunos, abue.

—Syd Faires, será mejor que no me digas que estoy vieja… —Babette arqueó una ceja de modo amenazador.

—Eso es algo bueno. La edad es sabiduría, bla, bla, bla. ¡Es algo que tenemos a nuestro favor!

Lucely se mordió el labio.

—Si lo hiciéramos, apuesto a que tendríamos más posibilidades de salir victoriosas de todo esto —dijo—. Ya no somos novatas cazando fantasmas, pero si nos atacan como lo hizo ese fantasma en el cementerio, es probable que muramos.

—Definitivamente moriremos. Cien por ciento moriremos. Muertas, fritas. ¡Entonces tendrías que mandarnos tú al inframundo, abue, y yo voy a ser el fantasma más insoportable de todos los tiempos! Y…

—Basta, ya lo entendí. No tienes que recordarme cuán pesada puedes ser. —Babette suspiró—. Puedo tratar de enviar una señal espiritual. Tal vez no funcione, pero podemos intentarlo.

Syd le arrojó los brazos alrededor del cuello a su abuela, y Lucely se sonrojó. Se sentía incómoda contemplando ese momento de ternura. Justo cuando comenzaba a alejarse, Babette la haló y la abrazó a ella también. Chunk maulló, saltó de la litera y trató de abrirse paso entre el grupo.

—Vamos a tener que prepararlas si queremos

enfrentarnos mañana al ejército de fantasmas de Eliza —dijo Babette, poniéndose de pie—. Bajen al patio dentro de cinco minutos.

El patio de Babette estaba rodeado por un denso perímetro de árboles y arbustos que lo ocultaban de lo que Babette llamaba “metomentodo”. Una sarta de luces se extendía a todo lo ancho del césped, haciéndolo lucir como un valle de hadas, al menos para Lucely. Desde el herbolario llegaba un agradable aroma de lavanda y romero. Syd se lanzó sobre el columpio acolchonado que colgaba de un roble viejo, con tanto ímpetu que casi lo tumba.

Babette apareció un poco después, llevando dos linternitas en la mano.

—¿Vamos a protegernos de los malos espíritus con linternas? —preguntó Syd.

—Calla, niña —dijo Babette—. No son linternas. Hace años que no las uso, pero son armas poderosas. Armas *mágicas*.

—Ay, Dios mío, Dios mío, Dios mío —murmuró Syd, y Lucely se secó el sudor de las manos en el pantalón.

Babette le dio una linterna a cada niña.

—No toquen ninguno de los botones —dijo—. Solo mírenlas mientras yo explico cómo funcionan.

Las linternas eran más pesadas de lo que parecían. Tenían un acabado en cromo y hondas ranuras que les daba un aspecto antiguo, casi como sables de luz.

—Llamo a estas bellezas mis "extravagancias". Son capaces de aturdir a cualquier ser sobrenatural en un radio de tres metros. Lo mejor será que eviten ser atrapadas por el rayo, porque... este... —Babette se frotó la nuca—. Digamos que no sería agradable.

—Tomo nota —dijo Lucely, abriendo mucho los ojos.

—Muy bien, traten de no golpear los árboles —dijo Babette—. Podría haber pájaros en ellos.

—¿A las tres? —preguntó Lucely, y Syd asintió.

—¡A la una, a las dos y a las tres!

Al apretar el botón, las "extravagancias" emitieron un brillante arcoíris de luz, dejando estelas rosadas, azules y púrpuras por todo el patio.

—Bueno, basta, basta —dijo Babette—. No derrochen energía. No tenemos tiempo para un entrenamiento, pero, según mi experiencia, la mejor manera de aprender rápidamente es con la práctica. Vámonos a cazar fantasmas.

Algo cambió en el aire en cuanto entraron al cementerio Tolomato. Estaba tan helado que, aunque Lucely se había abotonado hasta arriba su chaqueta de la Patrulla Fantasma, sentía que tenía trocitos de escarcha en lugar de pelitos en la nariz. Hasta la luciérnaga de Macarena parecía temblar dentro del frasco.

—Esto está más frío que el puré de papas de la cafetería de la escuela —dijo Syd, castañeteando los dientes.

Chunk maulló molesta.

Babette colocó a las niñas dentro de un círculo de velas titilantes y les dijo que se tomaran de las manos.

—Para que este hechizo funcione, van a tener que cerrar los ojos. Quiero que viertan dentro del círculo toda la buena energía y los buenos pensamientos y emociones que sean capaces de reunir.

Lucely cerró los ojos y pensó en su papá, en Mamá y en Syd, en los veranos jugando en la playa y en las noches que pasaba acostada bajo el sauce, mirando a las luciérnagas durante horas. Pensó en cuánto le gustaba acurrucarse en la cama leyendo su libro favorito y bebiendo el chocolate dominicano que preparaba su abuela. Ondas de energía irradiaron desde su interior mientras imaginaba que ponía todos esos recuerdos en el espacio contenido entre la mano de su amiga y la suya.

—Abran los ojos —dijo Babette.

Radiantes franjas de luz dorada bailaban ante ellas, entrelazadas como enredaderas vivientes.

—Vaya —exclamaron las niñas, embelesadas.

Con un ademán, Babette liberó la luz, permitiéndole extenderse por todo el cementerio, y se volvió hacia ellas.

—Aquí hay una energía oscura, algo peligroso. Creo que el mapa nos ha guiado hasta este lugar por una razón, sea para encontrar el hechizo que necesitamos o para hacernos caer en una trampa mortal.

—Bueno, ahora me siento *mucho* mejor en cuanto a eso de "aprender en la práctica" —dijo Lucely, y se volvió hacia su amiga, que acariciaba a Chunk con la nariz.

—Ella sí que sabe usar las palabras —dijo Syd—. Es la chispa de los Faires.

—¿Podemos hacer que regresen esas luces alegres? —preguntó Lucely tras soltar un suspiro.

—Vamos ahora, antes de que el hechizo se rompa —dijo Babette, y las niñas la siguieron—. Guardé un objeto mágico aquí hace años como resguardo, y puede sernos útil.

—¿Quién guarda sus cosas en los cementerios? —susurró Syd.

—Por lo visto, tu abuela. —Lucely se tocó el bolsillo de la chaqueta, asegurándose de que su "extravagancia" siguiera ahí—. No se lo digas a ella, pero casi estoy deseando que se aparezca un espíritu para utilizar estas cosas.

—Yo igual —murmuró Syd.

Babette se detuvo al llegar a una extraña loma, demasiado alta y estrecha para ser natural. Rozó con la mano la superficie cubierta de moho, haciendo círculos sobre el montículo hasta que una abertura apareció ante ellas.

—Por aquí.

Las niñas la siguieron en silencio.

El espacio se iluminó con la luz tenue y cálida de la linterna de Babette, y los ojos de Lucely se adaptaron lentamente a su nuevo entorno. Era un recinto pequeño y circular, sin otra salida que la misma puerta que habían atravesado. La niña recorrió con la mano la pared, maravillada de que la bóveda no se derrumbara bajo el peso de la tierra, y de pronto sus manos tocaron algo sólido. Apartó un poco de tierra y descubrió *huesos.*

—Dios mío. ¿Esto es… una *catacumba*? —Respiró hondo mientras se sacudía la mano para quitarse los microbios.

Chunk maulló.

—Ah, sí. Tal vez sea mejor que no toquen las paredes. Olvidé decirles eso —dijo Babette, distraída, mientras caminaba con los ojos cerrados.

—¿Has encontrado… este… lo que sea que estés buscand…?

Babettte alzó una mano para hacerla callar. Con los ojos aún cerrados, extendió la otra con la palma hacia abajo, e inclinó la cabeza ligeramente, como si se esforzara por concentrarse.

Al principio no ocurrió nada, pero luego el suelo empezó a temblar. Lucely se puso detrás de Babette de un salto, con la "extravagancia" lista en la mano.

Una explosión de tierra brotó del suelo, metiéndosele en los ojos, en la boca y, estaba casi segura, también en los pantalones. Cuando abrió los ojos, vio que Babette sostenía en la mano algo brillante: una flechita negra.

—Eso no luce como un objeto mágico —dijo Syd—. ¿Qué cosa es?

—Es un guardián buscador. Te ayuda a encontrar cosas, lo que quieras, señalándote la dirección. —Babette sonrió—. Si pensamos en las páginas del libro perdidas con esto en la mano, ¡podremos hallarlas! Vamos, tenemos que buscar un terreno más alto para que funcione bien.

Al salir de la catacumba, escucharon unos pasos pesados tras ellas.

Lucely y Syd se voltearon, listas para atacar, y se vieron literalmente cara a cara con Chunk. De alguna manera, la gata había crecido tanto que ahora era del mismo tamaño que ellas. Entonces, con una voz profunda pero suave como la seda, dijo:

—Corran.

Babette agarró a las niñas por los brazos y las haló antes de que pudieran reaccionar. El chillido de un tren a toda máquina atravesó el cementerio en dirección a ellas, avanzando con la fuerza de un huracán.

—¿Qué le pasó a Chunk? —chilló Lucely—. ¿Por qué estamos corriendo?

—Creo que si Chunk creció cinco veces su tamaño normal y habló con la voz de Lionel Richie, simplemente debemos hacer lo que dice —gritó Syd por respuesta.

Lucely trataba de correr a la par de Babette, quien

resultó ser una atleta sorprendentemente veloz, pero los pies se le hundían en el fango.

Un dolor agudo le atravesó el pecho y sintió que el aire a su alrededor se heló cuando se aproximaron a un roble gigante. Babette se detuvo, recostándose contra el árbol para calmarse.

—Saquen sus armas —dijo, parándose frente a las niñas con los brazos en alto.

Lucely alzó su "extravagancia", deseando que no se le aflojaran las rodillas. De pronto, la noche se hizo mortalmente silenciosa, y vio que a Babette le temblaban un poco las manos. Eso no podía ser una buena señal.

—Pónganse detrás de mí —ordenó la mujer, pero ninguna de las dos se movió.

—No dejaremos que lo enfrentes sola —dijo Lucely—. Todos para uno...

—Y uno para todos —concluyó Syd, justo cuando un gigantesco monstruo de niebla se materializaba ante ellas.

—Está bien —dijo Babette, tragando en seco—. A mi señal.

La criatura se lanzó al ataque y el aire pareció chisporrotear con energía estática, estremeciendo el suelo a cada paso.

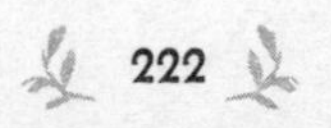

—¡ATAQUEN CON LA EXTRAVAGANCIA! —gritó Babette.

Las niñas abrieron fuego al unísono, haciendo brotar dos chorros de luz irisada que trazaron un arco y convergieron con el rayo púrpura de energía que Babette había conjurado. El monstruo de niebla se desvaneció emitiendo un grito de dolor.

—¿Dónde se metió? —preguntó Lucely, dando vueltas, lista para defenderse nuevamente.

—¿Lo derrotam…?

Antes de que Syd pudiera celebrar, el monstruo reapareció y atacó tan rápido que ninguna tuvo tiempo de reaccionar. Babette ya no estaba junto a ellas; estaba suspendida en el centro de lo que sería el vientre de la criatura, si no fuera esta una espantosa bestia transparente.

—¡NO! —gritó Syd, apuntando con su "extravagancia" al monstruo.

—No, Syd. No dispares. No sabes lo que esa cosa le va a hacer a Babette. —La mente de Lucely trabajaba a toda velocidad—. Sé que estás asustada, y yo también, pero si queremos salvar a Babette, debemos ser inteligentes. No estás sola; yo estoy aquí.

Syd apartó los ojos de Babette, que tenía la cara contraída por la desesperación. La mano de Lucely voló hacia las luciérnagas que llevaba a su costado. Guardó la "extravagancia" en el bolsillo trasero de su pantalón y se volteó hacia Syd.

—Voy a usar las luciérnagas para alejar al monstruo. Cuando este suelte a Babette, y solo cuando la suelte, dispara con todo lo que le quede a la "extravagancia". ¿De acuerdo? —Le puso una mano en el hombro a su amiga—. Tú puedes hacerlo, Syd.

Esta asintió, aunque Lucely se dio cuenta de que aún estaba aterrada. La abrazó y corrió hacia el descampado.

—Amigos, necesito un poco de ayuda —les susurró a las lucecitas en su frasco.

Las luciérnagas parpadearon a modo de respuesta y una oleada de energía cálida pareció emanar de ellas hacia la niña.

—¡Oye, monstruo! ¡Por aquí! —Lucely abrió el frasco y las luciérnagas la rodearon, creando un remolino de luz.

El monstruo se volvió hacia ella y sonrió.

Esa cosa tenía atrapada a Babette y podía matarla, y venía hacia ella.

Lucely plantó firmemente los pies, recordando el modo en que lo hacía Mamá en aquella visión en la que parecía enraizarse en el sauce, crecer y llenarse de furia, luz y amor. Se dejó invadir por ese sentimiento, sintiendo que un fuego ardía dentro de su corazón.

El monstruo arremetió contra ella. Tras él pudo ver a Babette, que yacía sobre la tierra, donde el monstruo la había dejado.

Se contuvo para no gritar, cerró los ojos y rezó para que las luciérnagas la protegieran.

Un estallido multicolor cruzó el aire en dirección al pecho del monstruo, haciéndolo desvanecerse en la noche.

Syd cayó de rodillas junto a Babette.

—¿Está bien? —gritó Lucely mientras corría hacia ellas.

—Está respirando —dijo Syd en un sollozo—, pero necesita a un médico, ¡o a un brujo! ¿Cómo la vamos a sacar de aquí? Nosotras no sabemos manejar, y ni siquiera podemos cargarla.

—Tengo una idea —dijo Lucely, y llamó a Macarena.

El enfrentamiento con los soldados en el castillo había sido una prueba de que la prima siempre podría ayudar. Por suerte, Macarena sabía manejar, aunque la última vez que lo había hecho había sido varias décadas atrás, cuando estaba viva.

—Claro que sí, yo las ayudaré —dijo la prima cuando Lucely le explicó la situación.

Macarena usó su magia de luciérnaga para llevar a Babette flotando a través de la neblinosa noche hasta el auto.

—Ojalá no haya nadie mirando —dijo Lucely—. Quedarían aterrados de por vida al ver a una anciana flotando por el cementerio.

—Si sobrevivieron al monstruo de niebla, sobrevivirán a esto —rio Syd.

—Regresen a la ladera, tontas.

Un frío helado le recorrió la espalda a Lucely.

—¿Quién está ahí? —preguntó.

—Las páginas que faltan, el monstruo custodiaba las páginas que faltan —dijo Babette.

—¡Abuela!

En un instante, Syd estuvo parada junto a Babette, acariándole el pelo.

—Corre, Lucely —dijo la mujer—, antes de que los otros fantasmas se huelan que el monstruo de niebla se marchó. Toma esto. —Le puso el guardián buscador en la mano a la niña—. Apuntaba a la catacumba antes de que esa cosa apareciera. Las páginas tienen que estar por allí en alguna parte. Yo estaré bien. ¡Ve ahora, niña! Tú puedes.

Lucely respiró hondo, preparándose para entrar una vez más a la catacumba. Dentro reinaba una negrura apenas aclarada por el tenue resplandor de su linterna, que se reflejaba en los huesos alineados en las paredes.

Sostuvo el guardián buscador en la palma de la mano, como había visto hacerlo a Babette, y cerró los ojos, concentrándose en el conjuro que faltaba, en las brujas moradas y en las páginas arrancadas. Se mordió el labio, con un ojo aún cerrado, esperando a que algo pasara.

La flecha empezó a vibrar, cobrando vida y revoloteando sobre su mano, y entonces giró violentamente.

—Bueno, cosa mágica, se supone que me indiques dónde están las páginas que faltan, y definitivamente no estás ayudando.

La flecha se detuvo de repente, como si la hubiera escuchado, y señaló a un lugar directamente encima de ella. El techo redondo de la catacumba estaba cubierto de calaveras.

—No podía ser peor —murmuró Lucely.

Escudriñó la constelación de huesos, tratando de encontrar alguna cosa fuera de lugar, pero las calaveras se veían casi idénticas. Frustrada, se tumbó indignada en el suelo. Entonces se dio cuenta de que los ojos de una de las calaveras parecían parpadear. Se paró de puntillas para acercarse lo más posible y vio dos gemas de obsidiana incrustadas donde debía haber dos cuencas vacías.

—¡Ajá! —se dijo, agarrando una piedra y apuntando hacia la calavera.

Esperaba que esta se desprendiera con el golpe, pero en el primer intento la piedra fue a dar dos calaveras más allá. Lo intentó de nuevo, pero la segunda piedra golpeó más lejos que la primera. Negando con la cabeza, agarró otra piedra y respiró hondo, tratando de calmarse. "Vamos, Lucely. Tú puedes. Haz como si estuvieras jugando al quemado y apuntaras a Tilly Maxwell".

Cerró los ojos y se imaginó una diana entre los ojos de la calavera. En el tercer intento, la piedra acertó en su objetivo y la calavera se desprendió del techo. La niña la recogió e inspeccionó la superficie lisa, buscando cualquier otro indicio que la hiciera especial. Aparte de las gemas, parecía normal, al menos, tan normal como ella imaginaba que luciría una calavera real. Las gemas le recordaron a *Los Goonies*. Probó sacar una, pensando que podrían servir para ayudar a su papá a salir del problema con el banco, pero las gemas estaban fijas en las cuencas y no se movían.

Sintió que el aire fuera de la catacumba cambiaba mientras más tiempo ella permanecía dentro. Sostuvo la calavera lo más cerca posible de su oreja, sin llegar a tocarla, y la sacudió suavemente. Entonces escuchó el débil sonido de algo que se movía en su interior.

Un frío penetró en el recinto y el aliento de Lucely se convirtió en una niebla blanca. Los espíritus malignos se acercaban. No quería romper la calavera, así que trató de sacar lo que había dentro por una pequeña grieta. Le entró pánico mientras forcejeaba, y el corazón le latía muy rápido, hasta que al fin cayó en su mano un rollito de papel.

No tenía tiempo para tratar de descifrar la escritura apenas legible, así que se lo guardó en el bolsillo y salió corriendo.

CAPÍTULO VEINTE

CUANDO EL SOL empezaba a filtrarse por las ventanas de la biblioteca de Babette, Lucely y Syd solo habían logrado entender el comienzo del conjuro. Habían pasado el resto de la noche sin dormir, tratanto de hallarle solución al problema. Leyeron docenas de libros de Babette, empatando pedazos de un hechizo con partes de otros, pero era como tratar de armar un rompecabezas muy difícil con instrucciones en otro idioma.

El rollo de papel que Lucely había encontrado en la catacumba no tenía ningún sentido.

Una luz para guiarte en la noche,
enfrenta tu destino antes de que sea demasido tarde.

Syd repetía estas palabras una y otra vez, esperando que, en algún momento, como por arte de magia, todo encajara; pero nada funcionaba. Babette se les unió cuando se recuperó del ataque que había sufrido, pero ni siquiera ella pudo hallar la respuesta.

—¿Qué vamos a hacer si no podemos descifrar el resto del hechizo antes de la fiesta de Halloween esta noche? —preguntó Lucely.

—No lo sé. Nos enfrentaremos a Eliza y la retendremos todo el tiempo que nos sea posible. —Babette sonaba derrotada—. Niñas, repítanme lo que tenemos hasta ahora.

Lucely y Syd se miraron mutuamente y asintieron.

Con una chispa de sol,
Con un destello de amor,
La oscuridad se retira,
Atrás queda el temor…

Hicieron silencio mientras Babette cerraba los ojos y respiraba hondo, tanteando el aire a su alrededor como si estuviera buscando algo en la oscuridad.

—Eso es… sorprendentemente poderoso. Bien hecho.

Las niñas bostezaron y Lucely sintió que el peso de la

noche sin dormir le cerraba los párpados. No se había dado cuenta del sueño que tenía. La adrenalina por tratar de descifrar el conjuro la había mantenido despierta.

Babette pareció notarlo porque se puso de pie y las acompañó a la buhardilla.

—Descansen, niñas. Vamos a necesitar toda nuestra energía esta noche.

En algún momento del día, mientras Babette y las niñas se recuperaban del combate contra el monstruo de niebla, una tormenta con vientos huracanados llegó a San Agustín.

Cuando salieron para la fiesta de Halloween, el cielo ya estaba cubierto de oscuras nubes grises que ocultaban la luz de la luna llena, y furiosos vientos arrancaban las decoraciones de los faroles y los árboles mientras Babette conducía rumbo al ayuntamiento. Lucely podía sentir a los espíritus malignos encima de ella, como si estuvieran respirándole en la nuca.

El responsable de la decoración de este año había tirado la casa por la ventana; la fachada del ayuntamiento parecía una casa encantada de verdad, con iluminación espeluznante, efectos de sonido y todo lo demás. A Syd se le ocurrió la brillante idea de ir disfrazadas de cazadoras de fantasmas, así la Patrulla Fantasma podría mezclarse con el resto de los asistentes, que irían disfrazados.

El estacionamiento estaba lleno y Babette tuvo que ser creativa. Aceleró justo antes de alcanzar el borde del asfalto y detuvo abruptamente el auto junto a un seto.

—Si no puedes hallar un estacionamiento, inventa uno —dijo, saltando del auto, y las tres se dirigieron a la fiesta de Halloween.

Los balcones del salón principal estaban decorados con telarañas y arañas gigantescas. Había brujas en palos de escoba colgadas del techo y fantasmas y sombras de monstruos proyectados sobre las paredes. Hasta los músicos de la banda de jazz que tocaría en vivo estaban disfrazados de momias, con la madre de Syd sentada a la batería y el padre tocando el saxofón. Miles de residentes de la ciudad disfrazados llenaban el lugar, haciendo prácticamente imposible reconocer los rostros familiares. Lucely, sin embargo, pudo distinguir a su papá del otro lado del salón, llevando el disfraz del hombre de hojalata como hacía todos los años, y distribuyendo folletos del negocio familiar. Sintió un enorme alivio. Después de semejante fin de semana, tuvo que esforzarse para que no se le salieran las lágrimas al verlo.

—¡Lucen fantásticas! —dijo Simón, acercándose a las niñas—. ¿Dónde está Babette?

Syd señaló a su abuela, que estaba de pie junto a la ponchera, observando con recelo a los asistentes.

—Voy a vigilarlas todo el tiempo, así que nada de escapaditas ni aventuras —advirtió Simón.

—Entendido —dijo Lucely.

Si su padre supiera que ya era demasiado tarde para esas advertencias. Demasiado tarde.

Simón se había alejado para distribuir folletos entre un grupo de visitantes disfrazados de personajes de *La guerra de las* galaxias, cuando la temperatura del lugar repentinamente descendió diez grados. Lucely empezó a temblar. Syd tuvo que haber sentido el cambio también, porque se pegó a ella y le apretó la mano.

El salón se sumergió en una oscuridad total. Algunos gritaron y entonces un foco aislado iluminó el descanso de la escalera imperial, donde apareció el alcalde Anderson con una sonrisa amenazadora que le desfiguraba el rostro.

—¡Bienvenidos, bienvenidos! Es siempre un gran placer ser anfitriones de este espectacular evento cada año.

No hemos escatimado en gastos para que este Halloween jamás se les borre de la memoria —dijo mientras recorría el salón con la mirada.

De pronto, los ojos del alcalde Anderson se posaron en las niñas, y el hombre parpadeó.

Comenzaron a formarse nubes oscuras que ocultaron completamente el alto techo. Las nubes parecían latir y dentro de ellas parpadeaban relámpagos como luces estroboscópicas. Después se escuchó un trueno, y tras este comenzó el rasgueo ininterrumpido de un bajo. El baile se reanudó en la planta baja y los asistentes quedaron fascinados por lo que creyeron que era parte del espectáculo. Entonces, algo llamó la atención de Lucely.

—No creo que esas sean nubes, Syd.

Cuando sus ojos se adaptaron a la oscuridad, las niñas notaron que las nubes no parecían hechas solo de niebla y sombras, sino de los estremecimientos de dolor y los lamentos de los no-muertos.

La piel del alcalde Anderson empezó a adoptar un color mustio y translúcido, como si estuviera hecha de agua de pantano, y sus ojos brillaron con un verde enfermizo cuando alzó los brazos como un director de orquesta a punto de iniciar una obertura. Con el destello de un relámpago bajó las manos velozmente y las nubes estallaron, desatando un monzón de espíritus sobre los inocentes invitados.

Por todas partes la gente comenzó a gritar, tratando inútilmente de espantar con las manos a los fantasmas como si estos fueran un enjambre de abejas. Una avalancha de personas huyó del edificio a toda velocidad.

—¿Dónde está Babette? —gritó Syd en medio de la conmoción.

—¡No sé, pero tenemos que hacer algo! —Lucely sacó su "extravagancia" y disparó unos arcos de luz.

Los espíritus descendían sobre la multitud. Levantaron en peso a un anciano y lo arrojaron sobre la mesa de los postres, pero este logró levantarse y salir huyendo. Una mujer colgaba boca abajo, agarrada por el tobillo, por una fuerza invisible que la sacudía con tanta fuerza que de sus bolsillos caían caramelos y monedas mientras ella gritaba histérica. Algunos niños de la escuela de Lucely chillaban de terror, perseguidos por los espíritus, que los agarraron y se los llevaron antes que Lucely y Syd pudieran salvarlos. El cazafantasmas de Lucely empezó a pitar: le quedaba poca capacidad.

Los espíritus estaban atacando a los habitantes de la

ciudad más rápido de lo que las niñas podían liquidarlos. Ráfagas de aire gélido les pasaban por el lado, apenas dándoles tiempo de esquivarlas y apartarse. Necesitaban a Babette; necesitaban un ejército.

—¿Ahora qué? —gritó Syd, alzando la voz por encima de los gemidos de los fantasmas.

Lucely pudo ver un destello plateado del inconfundible disfraz del hombre de hojalata de su padre.

—¡Papá, por aquí! —gritó, pero su grito se ahogó entre los lamentos.

Las luciérnagas zumbaban a su costado y la niña sintió una sacudida en el corazón. Sabía que ellas querían ayudar, que querían protegerla, pero temía perderlas. "No tienes que hacerlo sola porque estamos contigo siempre", recordó las palabras de Mamá justo cuando su padre llegó junto a ella.

—Papá —dijo Lucely—, hay un pequeño frasco atado a mis *jeans*. Contiene algunas de nuestras luciérnagas. Záfalo y ábrelo. Ellas sabrán qué hacer.

No tuvo que mirar a su padre para sentir la confusión de este e imaginar todas las preguntas que querría hacerle. Sin embargo, el hombre puso manos a la obra sin detenerse a preguntar. En cuanto abrió el frasco, las luciérnagas salieron volando y formaron un remolino de luz, produciendo un ruido como de agua vertida en una sartén caliente. Lucely las observaba con el rabillo del ojo, mientras vigilaba a los fantasmas y el repiqueteo de su "extravagancia". Simón aún sostenía el frasco en las manos, y su cara era como la de un niño extasiado. Lucely se dio cuenta de que podía ver de nuevo las caras de sus parientes fallecidos parpadeando en la luz. Al igual que ella, podía ver la cara que más extrañaban ambos: la de Mamá Teresa.

—Mamá —susurró la niña, embelesada, y dejó caer su "extravagancia".

—¡Luce! —gritaron Simón y Syd al unísono.

Lucely recogió la "extravagancia", pero fue muy tarde. Una horda de fantasmas se lanzó sobre ella, con las bocas muy abiertas, preparados para atacar. La inmovilizaron sobre el suelo de madera, y la niña se sintió de pronto muy ligera, casi incorpórea, como si estuviera desapareciendo, como si se hubiese apagado un interruptor en su interior.

—¡No! —Reconoció la voz de su padre proveniente de alguna parte, pero no podía verlo.

—De eso nada —resonó otra voz, y un estallido de luz púrpura brillante la cegó por un momento.

Era Babette.

La anciana hizo estallar la horda de fantasmas que cubrían a Lucely, dándole suficiente tiempo a esta para levantarse y empezar a capturarlos de nuevo. Entonces Babette se volvió hacia las luciérnagas y les extendió las manos, atrayéndolas hacia sí. Parecía absorber su luz a medida que las luciérnagas la envolvían, como una flor gigante hecha de lavanda y luces blancas.

Simón estaba ahora junto a ellas, poniéndole una mano sobre el hombro a Lucely. Para su sorpresa, su padre no estaba deteniéndola, sino protegiéndolas a las tres como un guardaespaldas. El contacto de su mano era reconfortante, lo único que la mantenía allí de pie.

—¡Ustedes, brujas, son todas iguales! Solo quieren *tomar* lo que no les pertenece y *hacerle daño* a la gente buena de esta ciudad —gritó el alcalde, evidentemente molesto por la resistencia.

—Deja a la ciudad fuera de esto —le dijo Babette—. ¡Esto es entre tú y yo, Braggs!

¿Braggs? Lucely apartó los ojos de la escena que tenía delante solo por un momento y miró a Syd, que estaba detrás de ella, mirándola fijamente. Al parecer *habían* estado en lo cierto respecto a Eliza Braggs.

El alcalde Anderson rio y la piel empezó a cambiarle como si una onda se propagara por su epidermis. El espíritu de Eliza Braggs se encontraba ahora donde unos segundos antes había estado el alcalde.

—Sabía que tratarían de entrometerse —dijo el espíritu—. Sabía que serían igual que el resto de su terrible secta. Siempre fueron *tan* inoportunas: un grupo de mujeres problemáticas. Las brujas moradas no han traído más que enfermedad y desorden a San Agustín desde que llegaron. Pensé que las había eliminado a todas la primera vez, pero claramente me equivoqué. Juré vengarme de ustedes por lo que esa muchacha, Pilar, le hizo a mi adorado hijo. Lo puso en mi contra, y ahora te arrancaré lo que más quieres.

El aura de luz que rodeaba a Babette vibró esta vez con más intensidad, recordándole a Lucely el efecto de invencibilidad en *Super Mario Bros*.

—Puedes seguir tratando de talarnos, pero nuestras raíces son demasiado profundas —dijo Babette—. Nunca lo lograrás.

Eliza soltó una carcajada.

—Las palabras inteligentes no te salvarán ahora, bruja. Te detendré de una vez y para siempre, aunque tenga que sacrificar las almas de los habitantes de esta ciudad para lograrlo, tal y como utilicé a esa pequeña vidente y a tu nieta. ¡A la medianoche, cuando más brille la luna llena, habré reclutado al ejército más poderoso que jamás se haya visto en San Agustín, y los *destruiré* a todos!

Con esto, Eliza Braggs se transformó nuevamente, esta vez en una espantosa bestia rugiente de diez pies de altura que chorreaba un líquido verdoso espeso. Largas hebras de pelo desgreñado colgaban de sus extremidades como musgo. Unos fantasmas con agujeros negros en lugar de ojos y bocas la rodearon, gimiendo y extendiendo las manos hacia las niñas, Babette y Simón. La horda envolvía al monstruo como la capucha de una cobra real, manteniéndola dentro de su sombra y lejos de la luz. El rostro de Babette se iluminó. La anciana describió un círculo con la muñeca, enviando un punto de luz semejante a una aguja hacia el demonio, que luego regresó hacia ella como un diminuto bumerán. El ataque debilitó al monstruo, de cuyas heridas salieron rayos de luz. La criatura chilló.

—¡Espera! —ordenó Babette, y lanzó la luz en dirección a los fantasmas.

De su cuerpo brotó una enorme onda expansiva de luz y energía: un ataque inmenso y terrible. Lucely no podía asegurar si aquello era una ilusión, pero lo que vino a continuación pareció desarrollarse en cámara lenta y, aparte de un débil zumbido en sus oídos, en absoluto silencio.

Una bóveda de luz púrpura cada vez más amplia congelaba a todos los espíritus malignos que la atravesaban. Eliza recobró su forma humana, con los ojos llenos de miedo al ser atrapada por la luz. Por un momento, reinó el silencio. Luego, con el retumbar de un trueno, la luz se extinguió, absorbida por sí misma como una estrella agonizante que se tragó a los espíritus.

Lucely y Syd fueron lanzadas hacia atrás por la fuerza de la implosión, pero Simón las atrapó en un abrazo, protegiéndolas de los escombros que volaban por doquier. Los fantasmas y la bestia fueron barridos hacia el techo en un tornado gigante, y salieron gritando por una ventana del enorme salón, destrozándola en mil pedazos.

Se hizo un silencio sepulcral. Cuando Lucely miró a su alrededor, ellos cuatro eran los únicos que quedaban.

—No te preocupes por los demás. Estarán bien tan pronto como podamos detener a Eliza —dijo Babette, y cayó de rodillas, debilitada por la cantidad de magia que había empleado—. Lucely, el papel. ¿Dónde está? —preguntó con premura.

La niña sacó del bolsillo el papel con el acertijo imposible de descifrar, el de las catacumbas.

—"Una luz para guiarte en la noche" —recitó—. "Enfrenta tu destino antes de que sea demasido tarde".

Sus ojos brillaron al pensar en los rayos de luz que salían del monstruo después del ataque de Babette.

—El faro —dijo, recordando la señal que había desaparecido en el mapa.

Babette asintió, sonriendo.

—Tenemos que estar allí antes de la medianoche.

—¿El faro? —preguntó Simón, bastante sofocado.

—La brujas moradas se reunían en el viejo faro. Cuando las desterraron, Eliza guio hasta allí una muchedumbre para reducirlo a cenizas —dijo Babette, poniéndose de pie—. Nuestra única esperanza de detener lo que Eliza ha puesto en marcha descansa en cualquier residuo de magia que podamos extraer de ese lugar.

Las niñas se miraron mutuamente y Babette miró a Simón, que lucía confundido.

—Te lo explicaremos todo por el camino, papá —Lucely tiró de su brazo mientras salían del ayuntamiento—. ¡Tenemos una ciudad que salvar!

CAPÍTULO VEINTIUNO

—¿EL MONSTRUO SE COMIÓ al alcalde Anderson? —preguntó Syd al montarse en el auto de Babette.

—¿Qué fue lo que pasó ahí? —dijo Simón al deslizarse en el asiento trasero con las niñas.

—Miau. —El maullido de Chunk sonó endeble y con cierto tono de preocupación.

—¡Chunk! —dijeron Lucely y Syd al unísono.

—¡Abróchense los cinturones! —Babette pisó el acelerador y salieron del estacionamiento con un chillido de neumáticos y una explosión de humo, bajo la lluvia que caía a cántaros.

Al llegar al puente de los Leones, que conducía al faro,

una pesada niebla se había asentado alrededor de ellos, de modo que no podía verse casi nada.

—Así que Eliza Braggs *estaba* haciéndose pasar por el alcalde todo este tiempo —dijo Lucely.

—¡¿La misma que acusó a las brujas moradas de hechizar a su hijo!? —añadió Syd.

Babette asintió.

—Los herbolarios y curanderos eran muy temidos en aquel tiempo —dijo—, y ella se propuso librar al pueblo de su presencia. Sin embargo, una nueva generación de las brujas moradas apareció no hace mucho, reviviendo nuestra magia y retomando el compromiso de proteger la ciudad. A juzgar por las apariencias, creo que eso fue lo que la trajo hasta aquí: venganza.

—¿*Nuestra* magia? —Las niñas y Simón se inclinaron hacia adelante en sus asientos.

—¿No es obvio? —suspiró Babette—. Honestamente, niñas, pensé que se darían cuenta antes. Yo soy una de las brujas del Aquelarre Morado, parte de la nueva generación. Braggs sabe que tengo el poder para detenerla y que puedo recurrir a mi aquelarre, tanto pasado como presente, para enfrentarla.

—¿*Alguien* podría decirme qué es lo que está

pasando? —preguntó Simón.

Las niñas le hicieron un resumen apresurado de la historia, mientras Chunk añadía esporádicos e insistentes maullidos cada vez que la mencionaban.

—¿Cómo se supone que detengamos a su ejército de espíritus malignos antes que destruya nuestra ciudad? —preguntó Simón.

—Vamos al faro, donde el aquelarre se reunía en secreto, y recitaremos el hechizo —dijo Babette, mordiéndose el labio.

—Pero solo tenemos la mitad del conjuro, ¿recuerdas? —señaló Syd.

—El conjuro es solo una parte —dijo Babette, rascándose la cabeza—. Tienes que recordar para qué lo necesitabas. Creo que lo que falta para completarlo es un elemento personal.

La mente de Lucely iba a toda máquina. En sus manos sostenía el frasco, en el que las luciérnagas palpitaban con más brillo que en las semanas anteriores, y entonces recordó lo que solía decirle Tía Milagros cuando estaba asustada: "Teme a los vivos, mija, no a los muertos". Ahora, sin embargo, se enfrentaban a los muertos; no al alcalde Anderson, sino a un monstruo y a su ejército de espíritus hecho de pura maldad, y esos espíritus se levantarían de sus tumbas a medianoche.

La gente en la calle andaba disfrazada, convencida de que la espesa niebla era un truco de luz o una ilusión creada por la administración de la ciudad para impresionar a todos. Las calles estaban llenas de turistas, y aunque Lucely deseaba que los fantasmas se estuviesen tranquilos, sabía que esta noche no sería así.

—¡Refúgiense, mequetrefes! —gritó Babette por la ventanilla, pero los transeúntes solo aplaudieron y rieron.

No obstante, algunos turistas lucían bastante asustados, y Lucely deseó de todo corazón que buscaran refugio en algún lugar seguro.

Cuando llegaron a la carretera que conducía al faro, la luna salió por entre las nubes, en lo alto, iluminando la torre de franjas blanquinegras en la distancia. Algunos árboles que se habían caído con la tormenta imposibilitaban seguir adelante en auto.

—¡Bájense! —ordenó Babette—. ¡Tenemos que seguir a pie!

Bajo la lluvia, Babette los condujo hacia el faro, que a Lucely siempre le había recordado algo de *Beetlejuice*. Simón sostenía una "extravagancia" extra que Babette tenía en el maletero, y Syd le explicó cómo funcionaba.

—Me alegra que estés aquí —le dijo Lucely a su padre.

—No te alegres tanto —dijo Simón—. Cuando todo esto acabe, estarás castigada hasta que cumplas los dieciséis.

—Uf.

Al llegar junto a la puerta del faro, Babette rápidamente forzó la cerradura y todos pudieron entrar, agradecidos, sobre todo Chunk, de poder refugiarse del viento y la lluvia. La mujer chasqueó los dedos y una llama apareció en la palma de su mano. Con un movimiento de la muñeca, la llama flotó en el aire, inundando el lugar de un suave brillo púrpura.

—Estén alertas, pandilla. Podría haber cualquier cantidad de criaturas aquí, dispuestas a atacarnos en cuanto bajemos la guardia.

Subieron la escalera de caracol que conducía a la torre, guiadas por la luz de Babette.

—¿Cómo es que aún no hemos llegado arriba? —jadeó Lucely—. Me parece que estamos dando vueltas sin parar.

—¿Verdad? —Syd también estaba exhausta y confundida—. ¿Crees que sea un espejismo, como cuando tratábamos de llegar a la iglesia?

Las niñas se derrumbaron en el descanso de la escalera. Simón y Babette desempacaron sus cosas.

—Yo de aquí no me levanto —gimió Syd—. A partir de ahora vivo aquí.

Chunk maulló enojada.

—Lucely, ¿puedes acercarte un segundo? Hay algo que tengo que decirte antes de que hagamos esto. —Babette tenía el rostro sombrío.

—¿Está todo bien? —preguntó la niña, un poco asustada; Babette nunca se ponía así de nerviosa.

—El hechizo... La magia siempre tiene consecuencias. A veces se requieren sacrificios.

—¿Qué sacrificios? —preguntó Simón, acercándose a ellas y poniéndole el brazo por encima de los hombros a su hija.

Babette suspiró.

—Es posible que, si el hechizo funciona, tus luciérnagas desaparezcan.

Lucely dio un brinco y sus manos tocaron el frasco que llevaba en el costado. No, no podía perderlas. Se suponía que ella las salvara. Estaba completamente abrumada por la rabia, el miedo y la tristeza. Todo esto era culpa suya.

Caminó en círculos con los ojos cerrados, respirando hondo para despejar la cabeza. Cuando abrió los ojos, una espesa niebla negra la rodeaba. Podía oír las voces apagadas de su padre, Syd y Babette llamándola, pero cuando intentaba responderles, era como si gritara debajo del agua. Dio unos pasos al frente con los brazos extendidos, pero ellos ya no estaban allí.

Algo crujió detrás de Lucely. Cuando se volteó, el manto de tinieblas ya no la rodeaba y pudo ver que no se encontraba en el faro. Estaba sola en medio de un cementerio bajo una lluvia torrencial. Tampoco se escuchaban las voces; todo estaba en absoluto silencio.

Su instinto le decía que esto era simplemente otro truco. Eliza estaba jugando con ella para impedir que hallaran el contrahechizo antes de la medianoche. Sin embargo, el viento, la hierba, la lluvia... se sentían demasiado reales. Miró en derredor y se dio cuenta de que reconocía el entorno: ¡era el cementerio Huguenot!

"Sé cómo llegar a casa desde aquí", se dijo a sí misma, buscando un poquito de consuelo.

Algo le susurró desde el fondo de su mente, pero no lograba entender lo que trataba de decirle. Pensó en su padre, en Mamá Teresa y en el resto de sus ancestros luciérnagas, en Syd y en Babette. Ellos lo eran *todo* para ella y no permitiría que nada les sucediera, costara lo que costase.

En el momento en el que empezaba a descifrar la última parte del hechizo, algo pasó volando y la tumbó al suelo. Instintivamente sacó su "extravagancia" y disparó un arco de luz multicolor. De inmediato deseó no haberlo hecho: los no-muertos estaban por todas partes; cubrían completamente el cielo como un muro gris y negro a su alrededor. Incluso el suelo parecía translúcido, a causa de un grupo de fantasmas que bailaban bajo sus pies. Gritó y empezó a cazarlos, pero había más de los que jamás hubieran podido prever. Eran *miles*, y ahora habían fijado su atención en ella.

Las luciérnagas zumbaban y la mano le vaciló sobre el frasco. Lastimar a las luciérnagas le parecía inconcebible, pero no estaba segura de poder hacer esto sola. Necesitaba regresar con su familia, regresar al faro. Un grupo de fantasmas con sombreros puntiagudos avanzó hacia ella. "Brujas", pensó. También estaban los personajes de las pinturas históricas de su papá, Enriquillo y las hermanas Mirabal… y otro hombre que también reconoció: el juez John Stickney, el fantasma que buscaba sus dientes. Se precipitaron hacia adelante y, por instinto, Lucely empuñó su "extravagancia", pero, en lugar de atacarla, los nuevos fantasmas se lanzaron contra los que la tenían atrapada.

—¡Ayuden a la muchachita! —gritó el juez John dirigiendo el ataque.

Las brujas avanzaron como un ejército, portando varitas mágicas en una mano y sujetando sus largos faldones con la otra. Así derribaron a un grupo de fantasmas tras otro, tratando de abrir una brecha lo suficiente grande para que Lucely pudiese pasar. El corazón de la niña latía tan fuerte que podía sentirlo golpeando en sus oídos. Del otro lado del muro de fantasmas el cielo se volvía cada vez más oscuro, como si todas las luces del mundo se hubiesen apagado a la misma vez.

Sin embargo, el camino todavía no era lo suficiente grande como para que ella pasara. Necesitaba más ayuda. Miró abajo a las luciérnagas, que destellaban para llamar su atención; ella sabía que querían ayudar, y también sabía que debía permitírselo si aún tenía la esperanza de escapar.

—¡Cuídense! —murmuró.

Cerró los ojos por un instante y destapó el frasco.

Las lucecitas salieron volando. De repente, donde antes había un estrecho camino creado por la "extravagancia" y los fantasmas amigos, ahora se abría un túnel amplio y brillante. Los espíritus malignos empujaban por todos los lados tratando de obstruirlo, pero las luciérnagas habían creado una red dorada que los detenía. Lucely atravesó el túnel corriendo, sin mirar atrás. Tenía que regresar con su familia, y nada importaba más en ese momento porque ya tenía el último fragmento del conjuro.

CAPÍTULO VEINTIDÓS

LUCELY DESPERTÓ DE GOLPE, jadeando como si hubiera estado a punto de ahogarse. Enfocó la mirada lentamente en lo que la rodeaba: estaba de vuelta en el faro, acostada en el descanso de la escalera, con Babette, Syd y su papá a su alrededor.

Babette sacó uno de los caramelitos de fresa que parecía tener siempre en los bolsillos y se lo dio.

—Esto te va a ayudar.

—¡Luce! ¡No estás muerta! —chilló Syd, lanzándose sobre ella para abrazarla.

—Los *Goonies*... nunca dicen... "morir".

Lucely gimió a causa del abrazo, pues tenía el cuerpo tieso de estar acostada en el cemento quién sabe cuánto tiempo, pero no se apartó.

Simón extendió la mano y le apretó el hombro.

—Me alegra que estés bien, mi niña. Sabía que lo estarías. Siempre eres fuerte, más fuerte de lo que yo podría ser jamás.

—No es verdad. ¿De quién tú crees que lo heredé? —dijo ella, sonriendo.

—¿Vamos a pasarnos la noche abrazándonos unos a otros o vamos al grano? —preguntó Babette, a pesar de estar visiblemente aliviada—. ¿Qué viste?

—Hum… Bueno, estaba parada aquí y de pronto estaba sola en el cementerio Huguenot, donde me atacaron miles de espíritus. Una parte de mí sabía que era una visión, pero se sentía demasiado real.

—¿Y conseguiste lo que necesitabas?

Asintió. Babette le dio el rollo de papel y una pluma.

—Escríbelo pronto, antes de que lo olvides. Tú y Syd tendrán que recitarlo pase lo que pase. Ya yo preparé el espacio.

Lucely no se lo podía explicar, pero parecía que Babette sabía que la visión le revelaría el hechizo.

Docenas de velas parpadeaban alrededor de la plataforma panorámica roja, y sus luces se entrelazaban con las de las luciérnagas que revoloteaban dentro y fuera de la habitación. Babette señaló la tormenta de espíritus que se había formado en el mar, a la luz de la luna.

—Lucely, necesito la más enérgica de tus luciérnagas, la más aterradora de todas.

La niña casi sonrió.

—Tía Milagros —dijo, al unísono con Syd y su padre.

Tocó el frasco y llamó a su tía, quien apareció en un instante.

—¿Qué hay que hacer? —dijo Tía Milagros desde antes de adoptar su forma humana.

La tía se paró junto a Babette, chancla en mano.

—Nosotros usamos estas. —Babette hizo ondear su capa para dejar ver los espejitos que tenía pegados por todo el borde—. Y los lentes de allí. —Señaló los gigantescos lentes giratorios en el interior del faro.

—Ahora solo necesitamos la ayuda de las brujas…

—Moradas —Tía Milagros terminó la oración—. Conozco bien esas historias.

—Como miembro del aquelarre, esta noche puedo invocar a sus espíritus, o más bien su energía, su fuerza. —Babette se volteó hacia Tía Milagros y sonrió—. ¿Puedes alzarme hasta el lente? —Luego se volteó hacia las niñas—. Lucely y Syd, cuando vean una llamarada salir de nosotras, justo cuando el haz de luz del faro dé la vuelta por tercera vez, empiecen a recitar el conjuro. —Finalmente se volteó hacia Simón—. Tú y Chunk cubren a las niñas, ¿entendido?

Todos asintieron.

—Empecemos.

Tía Milagros asintió y se transformó en una luz blanca brillante que envolvió a Babette y la alzó hacia la tormenta. El haz de luz del faro iluminó la masa de espíritus, y Lucely pudo ver que estaba formada por una desagradable sustancia gris babosa que gemía con las voces de cientos de almas perdidas.

Con su padre, Syd y Chunk a su lado, observó como Babette abría su capa y mostraba una varita mágica. Se sentía ansiosa, pero alerta, esperando por la señal para recitar el hechizo con Syd. La masa de espíritus pareció divisar a la mujer, que estaba subida a la plataforma más alta del faro, y se expandió en todas direcciones como un monstruo de diez mil cabezas, rugió y se avalanzó sobre ella a toda velocidad. Babette disparó un rayo de luz púrpura desde su varita, desconcertando por un instante a la masa de espíritus. Alzó los brazos y empezó a entonar un hechizo, haciendo resonar su voz tan alto en el cielo nocturno que a Lucely no le hubiese extrañado que toda la Florida la hubiera escuchado. La mujer tenía la capa abierta del todo, y esta parecía extenderse por muchas millas. Los espejitos parpadearon bajo la luz de la luna.

Oígannos esta noche, brujas moradas.
No más escondidas, no más asustadas.
Brujas moradas, a este llamado asomen.
No tengan miedo, no se desplomen.
Escuchen, brujas, lo que el llamado encierra.
Acudan a nosotros desde el mar y la tierra.
Aparten muy lejos de nuestra mirada
Al demonio esta noche, brujas moradas.

Por todo en derredor comenzaron a caer centelleantes estrellas púrpuras, como copos de nieve que adoptaron formas humanas al posarse en la plataforma panorámica. Babette se paró junto al enorme lente y las brujas la rodearon. La luz brotaba de sus manos mientras le transmitían su energía.

—¡Ahora! —gritó Babette cuando la luz del faro volvió a dar la vuelta.

—Ahora o nunca —dijo Lucely.

Syd asintió y los ojos se le aguaron. Las dos temblaban,

por el viento o el miedo, o problemente por las dos cosas. Lucely miró fijamente a su amiga, con expresión confiada, y le apretó las manos. "Podemos hacerlo —intentó decirle—. Vamos a hacerlo juntas". Respiró hondo.

Con una chispa de sol,
Con un destello de amor,
La oscuridad se retira,
Atrás queda el temor…

Un enjambre de espíritus se lanzó sobre ellos, pero Simón los contraatacó con una "extravagancia" en cada mano, disparando como si nunca hubiera hecho otra cosa en toda su vida. Chunk bufaba y le pegaba con fuerza a todo fantasma que se le acercara, y por momentos crecía hasta alcanzar su supertamaño y les rugía en la cara.

Lucely volvió a respirar hondo. Las manos le temblaban tanto que apenas podía sostener las de Syd.

—Ya lo tenemos —gritó Syd, alzando la voz por encima del rugido del viento—. ¡Creo en ti, Lucely!

—MIAU —agregó Chunk.

Lucely sintió que el calor de sus luciérnagas la rodeaba, como si le dijeran: "¡Nosotras también creemos en ti!". Cerró los ojos y terminó el hechizo con las palabras de su corazón:

Apelo a los poderes
De los fantasmas de mis ancestros
Y digo los nombres de los tres que más quiero...
¡Simón Luna, Teresa Luna y Syd Faires!

De las manos entrelazadas de las niñas salió una luz disparada en dirección a Babette y las brujas. Aumentada por el lente del faro, una explosión púrpura y blanca iluminó el cielo nocturno. Las luces se reflejaron en la capa de Babette y crecieron cada vez más, hasta que el deslumbrante resplandor de luz púrpura y blanca pareció sepultar el océano. Todo temblaba y, por un instante, pareció que el faro se derrumbaría.

En el cielo se formó un gigantesco torbellino que comenzó a arrastrar a la masa de espíritus hacia su interior, como si Tía Milagros estuviera absorbiéndolos con una aspiradora. Los fantasmas gemían a medida que eran succionados hacia el vacío, hasta que una última ráfaga de niebla pasó por encima de sus cabezas con el retumbar de una montaña rusa. El cielo se cerró con un rugido, dejando solo el silencio y la luz parpadeante de las luciérnagas.

CAPÍTULO VEINTITRÉS
DOS DÍAS DESPUÉS

CUANDO LUCELY ABRIÓ LOS OJOS, vio a su padre sentado en la silla junto a su cama, con una gran sonrisa en el rostro.

—Bienvenida otra vez al mundo de los vivos, muchachita. —Simón le ofreció un cuenco de harina fría.

—La pusiste en el refrigerador —dijo la niña con voz ronca—. Así es como me gusta.

—Sí, nunca lo olvidaría —sonrió su papá, orgulloso—. Tú eres mi niña, al fin y al cabo.

La harina fría era el desayuno favorito de Lucely cuando su madre vivía con ellos, pero su padre había dejado de hacer todo lo que ella hacía porque lo entristecía demasiado. Ahora ya no había tristeza en su rostro, solo amor.

De pronto, Lucely abrió desmesuradamente los ojos al recordarlo todo.

—¿Funcionó? ¿Todos están bien? ¿Las luciérnagas? ¿Mamá?

Casi se le para el corazón esperando la respuesta de su padre.

—Yo… creo que están bien. Tú sabes que no puedo verlas como tú, pero están todas en su sitio, volando y brillando.

Tendría que comprobarlo ella misma, pero seguramente estaban bien. Sí, tenían que estarlo.

—Y, sí, funcionó, Luce. Syd y tú salvaron a la ciudad de un megafantasma vengativo respaldado por un ejército de espíritus crueles, por no mencionar que ahora son héroes locales. —Simón levantó un periódico para que ella lo viera—. Ayer por la mañana, *La Gaceta* entregó una edición especial casa por casa en San Agustín. ¡Tu amiga y tú salieron en primera plana!

DOS AMIGAS SALVAN A SAN AGUSTÍN

Con solo doce años, las amigas Lucely Luna, hija de Simón Luna, dueño y agente de la extraordinariamente encantadora empresa Excursiones Luna

Fantasma, y Syd Faires, nieta de Babette Faires, la propietaria de Baratijas de Babette, han dejado ya su huella en la ciudad. Cuando una tormenta sin precedentes tocó tierra el domingo por la noche, Lucely y Syd se hallaron en una encrucijada.

"Bueno, íbamos en bicicleta hacia el ayuntamiento para la fiesta de Halloween cuando notamos que el faro no estaba encendido, lo cual era extraño —explicó Syd Faires—, así que decidimos ir a echarle un vistazo".

De acuerdo a su relato de primera mano, cuando llegaron al faro, el cielo se había abierto y llovía a mares. Buscando refugio adentro, descubrieron que la red eléctrica del faro había sido desconectada completamente.

"Bueno, no soy experta en electricidad, pero si encuentro un enorme interruptor que dice 'apagado' y 'encendido' puedo manejarlo yo misma", dijo Syd Faires. Una vez que la red eléctrica estuvo reactivada, los sensores de alerta de emergencia volvieron a funcionar. Ya encendida, la lámpara del faro pudo volver a cumplir su propósito: guiar a los viajeros, tanto en la tierra como en el mar, fuera de peligro. La rápida y decidida acción de estas dos muchachitas puede haber salvado vidas.

Al salir el sol con el nuevo día, la fuerza bruta de la tormenta se manifestó en todo su horror. La reconstrucción tomará años, pero si algo hemos aprendido de nuestro pasado es que quienes se suman a una causa unificadora y se prestan a ayudar crean una comunidad más fuerte y resistente, preparada para cualquier tormenta que se atreva a tratar de dividirla.

—No entiendo —dijo Lucely—. Nada de eso es verdad. Todos los que estaban en el ayuntamiento vieron lo que pasó esa noche.

—¿Estás segura de eso, Luce? —Simón arqueó una ceja—. ¿Has visto cómo se llama el periódico?

La niña volvió a mirar la primera página. Arriba, en negritas, con letras góticas, decía *La Gaceta de Babette*. Lucely pareció confundida.

—¡¿Babette escribió esto?!

—Perfecto, ¿verdad? —Babette se deslizó dentro del cuarto, seguida por Syd—. Me alegra que al fin te hayas despertado. Ustedes dos dejaron un enorme reguero en mi biblioteca.

—En realidad creo que ahora me está entrando sueño —dijo Syd, y Lucely rio.

Chunk trató de subirse a la cama, pero no lo logró, así que Syd la alzó y se la colocó a Lucely en el regazo.

—Me alegra que estés bien, Syd —dijo esta.

—¡¿Yo?! Tú fuiste la que quedó fuera de combate. Mis padres incluso vinieron a tocar música, o alguna de sus cosas *hippies*, para ayudar a curarte; pero ni el saxofón de mi papá ni la batería de mi mamá te despertaron, para que lo sepas.

—Pero ¿qué pasó con el episodio en el ayuntamiento? ¿Y el alcalde convirtiéndose en un espíritu maligno y causando estragos por toda la ciudad? Todos en la fiesta de Halloween vieron lo que ocurrió realmente.

—La gente está más dispuesta a creer una mentira fácil que una verdad complicada. —Babette hizo un ademán pomposo con la mano mientras hablaba—. Digamos que cualquiera con talento para el arte del engaño puede torcer la verdad lo suficiente para convertir el recuerdo que se tiene de unos sucesos en algo más... aceptable para la mayor parte del público.

Syd puso los ojos en blanco.

—Lo que Babette *intenta* decir es que, en cuanto los habitantes de esta ciudad se recuperen de la conmoción de haber visto a una fulana voladora expulsando a los espíritus del ayuntamiento y, de paso, borrando sus recuerdos, ya ella habrá hechizado los periódicos de manera que todo el que los lea recordará su versión tan creativa de los hechos.

Lucely arrugó el rostro.

—¿Algo así como esa cosa roja brillante que usaban en *Hombres de negro*?

—"Mujeres de púrpura" no suena tan bien —dijo Simón, riendo.

—Vaya, eso… ¡es genial! —Las cosas empezaban a tener sentido.

La cara de Simón se suavizó.

—Luce, te has perdido un montón de cosas en estos dos días.

—Encontraron al verdadero alcalde Anderson encerrado en el sótano del ayuntamiento, divagando sobre cómo Eliza Braggs lo hizo tomar una siesta fantasmal —intervino Syd—. Aunque él no sabía en ese momento que ella era un fantasma.

—Tuve que inventar algo un poco especial para él. —Babette le guiñó un ojo a Lucely.

—Hablando de magia, ¿por qué Syd no durmió también durante dos días? —La niña se incorporó y el cuarto le dio vueltas.

—La magia te dejó fuera de combate —explicó Babette—. Y resultó que…

—¡Soy una bruja! —Syd se abalanzó sobre la cama, y aunque todo volvió a darle vueltas, Lucely rio.

—Bruja *en formación* —la corrigió Babette—. Tienes mucho que aprender antes de poder decir que eres una bruja de verdad.

Lucely chilló emocionada por la noticia que acababa de recibir, y envolvió a Syd en un abrazo.

—No puedo creerlo. ¡Mi mejor amiga es una bruja!

—¡Lo sé! No veo la hora de embrujar a nuestros compañeros de aula.

—Sydney… —la regañó Babette.

—¡Estoy bromeando! —dijo Syd, y luego le susurró a Lucely al oído—: No estoy bromeando.

Lucely rio y se hundió en los brazos de su amiga.

—Gracias por creer en mí, Syd, y por estar a mi lado durante todo esto. No hubiera podido hacerlo sin ti.

—Para eso estoy aquí. Para hacer chistes y patear traseros de fantasmas y ser encantadora... Podría seguir —dijo Syd, sonriendo.

A las niñas les entró un ataque de risa.

En el pasillo sonó el teléfono y despertó de su siesta a la malhumorada Chunk.

—Yo contesto —dijo Simón, y salió del cuarto—. Excursiones Luna Fantasma... No, lo siento. Está todo reservado hasta Halloween. Sí, del año que viene. ¡Lo siento! Pondré su nombre en la lista de espera en caso de cancelación. Sí, por supuesto. ¡Gracias!

Lucely sintió que se le salían los ojos de las órbitas.

—¿Halloween del *año que viene*?

—Así es —dijo Simón—. Con toda la promoción en los medios que han tenido Syd y tú gracias al artículo de Babette, nos han inundado con llamadas y reservaciones en los dos últimos días.

—¿Eso significa que no tenemos que mudarnos? —preguntó Lucely, esperanzada.

—¡Oficialmente, los Luna están aquí para quedarse! Y vamos a ayudar a San Agustín a recuperarse. Después de la destrucción causada por Eliza Braggs y su tormenta de fantasmas, la ciudad nos necesita más que nunca.

La niña sonrió, contenta de que otra cosa buena resultara de todo lo sucedido.

—¿Ya le hiciste el té? —le preguntó Babette a Simón mientras le ponía una mano en la frente a Lucely.

—Ah, todavía no. Voy a hacerlo ahora. Enseguida vuelvo, mi niña —dijo Simón, y salió del cuarto con Babette, quien le iba dando instrucciones mientras bajaban.

—Lucely, ¿puedo preguntarte algo un poco raro? —preguntó Syd.

—¿Cuándo tú me has pedido permiso para eso? —bromeó Lucely, y entonces vio que su amiga estaba seria.

—Voy a ser directa, pero justa. Me estaba preguntando... —Syd le dio un tironcito a la manga de su camiseta—. Cuando recitaste la última parte del hechizo, ¿por qué dijiste mi nombre y no el de tu mamá?

Lucely se mordió el labio.

—Cuando tuve el desmayo, hubo fantasmas que me ayudaron a escapar en mi visión, y vi los espíritus de todos los personajes históricos que mi papá ha colgado por toda la casa. Me recordaron mi hogar, y cuando pienso en mi hogar... pienso en ti. Sentí que la parte final del conjuro tenía que venir de mi corazón. He pasado mucho tiempo extrañando a mi mamá, deseando tener a mi familia junta de nuevo, pero en ese momento me di cuenta de que ya tengo una familia. —Sonrió—. Mi papá y tú y Babette y las luciérnagas. Y todos los gatos *Goonies*.

—¿Te imaginas el retrato de esa familia? —Las dos se echaron a reír.

—Miau —aprobó Chunk, poniéndose boca arriba.

—Quizás la familia es algo más que estar emparentado —dijo Lucely—. Es también la gente que conoces y quieres por el camino.

—No sabía que fueras tan profunda —bromeó Syd.

Lucely le acarició la barriga a Chunk y se encogió de hombros.

—Muy profunda. Probablemente sea poeta o algo por el estilo.

—Realmente me alegra que no tengas que irte —dijo Syd, abrazándola de nuevo.

La niña se acostó en la cama, sonriendo.

—Yo también, Syd.

En ese preciso instante, una brisa cálida entró por la ventana y el cuarto se llenó de una luz tan brillante que las niñas tuvieron que cubrirse los ojos con la sábana. Lucely se atrevió a mirar, entrecerrando los ojos para adaptarse al resplandor que las rodeaba. Macarena y Manny, Tía

Milagros y Tía Rosario, Tío Celestino, Benny y Yesenia... todos los espíritus de su familia estaban allí, parados alrededor de la cama, sonriendo.

—Están todos bien. —Lucely sonrió—. Me preocupaba haberlos perdido para siempre.

Tía Milagros le extendió la mano.

—Nuestro lugar está aquí. Contigo.

Macarena saltó sobre la cama y la abrazó tan fuerte que la niña apenas podía respirar. La familia de espíritus se apartó para dejar pasar otra luz resplandeciente. A medida que se acercaba, la luz comenzó a tomar forma: ante Lucely sonreía una mujer con un millón de arrugas que delineaban su rostro y pecas en las manos que asomaban de sus mangas de flores. La niña sonrió y las lágrimas le rodaron por las mejillas.

—Mamá —dijo con la voz ahogada.

Mamá Teresa se sentó en la cama y Lucely se arrojó en los brazos de su abuela.

—No pasa nada, mi niña —dijo Mamá mientras le alisaba el pelo rizado y empezaba a cantarle suavemente.

—Todo está bien —dijo Lucely, sonriéndole de vuelta.

Entonces supo que estaba en casa.

AGRADECIMIENTOS

En primer lugar, quiero agradecer a Dios por escuchar mis plegarias en algunas ocasiones y obligarme a aprender a las malas en otras. Era necesario.

A mis padres, Anazaria y Pablo, por apoyarme siempre, por decirme que puedo hacer todo lo que me proponga y por enseñarme que la vida no es perfecta ni fácil. A mis hermanas: Nina, que siempre estás ahí cuando te necesito; gracias por tus consejos, tu cariño severo y tus llamadas impertinentes para despertarme cuando compartíamos el dormitorio. ¡Te quiero tanto! Jeanny, gracias por enseñarme a ser fuerte. No sé cómo lo haces, pero tu sonrisa y tu perseverancia me inspiran. Estoy orgullosa de que seas mi hermana mayor, aunque a veces también puedas ser realmente fastidiosa.

David, gracias por creer en lo que escribo antes que yo misma lo hiciera. Hemos crecido juntos y hemos pasado *por todo.* No cambiaría los años de desafíos, de ser los padres de Pancho, de amarte por cualquier motivo. Gracias por estar siempre ahí y consentirme todo el tiempo con galletitas. Ninguna de las cosas que he logrado serían tan divertidas sin ti y sin tus gritos. Gracias por compartir ideas conmigo, por ayudarme a solucionar lagunas en el argumento, por animarme cuando estaba en un callejón sin salida. Somos el mejor equipo y te quiero más de lo que imaginas. Por favor, tradúcele esto a Pancho, preferiblemente en forma de tiritas de queso. ☺ Te quiero, socio. ¡Construyamos una fortaleza ahora, por favor!

A mis sobrinas y sobrinos (estoy respirando hondo porque son un montón. Buen trabajo, hermanitas), por orden de edad: Gigi, alias Comeongi, estoy feliz de ver como creces, tan inteligente, tan alta, tan amable, tan paciente. Estoy impaciente por tener limpiezas de dientes gratis. Te quiero tanto, tanto. Lo del pie fue culpa de Joshua.

A Joshua, oye, ¿por dónde empiezo, Joshie-pu? Has sido uno de mis mejores amigos desde que naciste. Gracias por ayudarme a escoger ropa en Charlotte Russe cuando tenías dos años, por terminar *Kingdom Hearts* conmigo, por quedarte inmutable y en silencio mientras yo grababa música (aún lo siento), y por enviarme *memes* cuando estaba triste. Te quiero y estoy orgullosa de ti. Por favor, asegúrate de tener el presupuesto para un apartamento lujoso cuando te gradúes de MIT. ☺ Gracias por estar tan superemocionado por *La Patrulla Fantasma*; tu entusiasmo me llenó de confianza. *#ForeverYachtAccess*

Evan, me encanta lo cariñoso y amable que has sido siempre, incluso cuando perseguías a Gigi con la silla aquella vez. Eres tan increíblemente talentoso, y no puedo oírte cantar sin ponerme a llorar. Gracias por ser uno de mis primeros lectores y por mostrar tanto entusiasmo por mi mundo y mi escritura. Nunca lo olvidaré.

Sam: Eres uno de los mejores niños en este planeta, tan cómico, tan inteligente, tan adorable. Gracias por dejar que te leyera capítulos de mi libro, por leer libros de fantasmas conmigo en noches de pijamada, por hacerme reír y por hacer que me sintiera orgullosa. Eres el tipo de niño para el que escribí este libro, y no te voy a mentir: muchas frases sarcásticas y bromas de Syd fueron escritas pensando en ti, *lol*. Gracias por inspirarme.

Maia, mi compañera de febrero. Eres una escritora fantástica y me encanta lo voraz que eres como lectora. Gracias por comentar mis capítulos y por casi hacerme titular este libro *Luciérnagas de pasión*.

L, ¡el mejor cuñadito del mundo! Estoy ansiosa por levantar mi copa de champán como en un vídeo de los 90 contigo en la fiesta de lanzamiento. Eres el mejor. <3

Pedro, ¡gracias por todo tu apoyo a través de los años!

A mi INCREÍBLE agente, Suzie Townsend: realmente me hace feliz que estés junto a mí. Gracias por creer en mí y por hacer de mí una mejor escritora. He aprendido tanto de ti, y te aprecio mucho, mucho. Espero seguir vendiendo libros para que algún día puedas volver a jugar la *app* del dragón.

A todos en New Leaf y especialmente a Dani Segelbaum, Cassandra Baim y Meredith Barnes: son mis héroes, no puedo creer que tenga la oportunidad de trabajar con gente tan maravillosa.

A todos en Scholastic: mi editor, Jeffrey West; Lizette Serrano; David Levithan; y a toda la gente de ventas, mercadeo y publicidad: no hubiera podido pedir un equipo mejor para luchar por mi libro. Gracias por todo lo que han hecho por mí y por *La Patrulla Fantasma*.

A mis primeros críticos y lectores: Michael Mammay y Andrea Contos; no estaría aquí sin la ayuda de ustedes. Mike, gracias por decirme algunas duras verdades sobre mi escritura y ponerme en el camino de la publicación. Tú eres una de mis personas favoritas en este planeta. Andrea, gracias por ser una de mis amigas más cercanas y mi más fiel confidente, por hacer que nuestro grupo de chat privado no fuera de bichos raros, por apoyarme en mis consultas y con el centro de bienvenida para consultas, por todas las risas, por los *KH tweets* y por el apoyo ante los inconvenientes, ofertas y contratiempos. ¡Te adoro!

A Kat y a Beth: ¿Qué me haría sin nuestro grupo de chat? Kat, nunca imaginé conocer a una de mis mejores amigas a estas alturas de la vida, pero aquí estamos. Gracias por poder contar contigo siempre, por celebrar conmigo y por escucharme. Qué dicha tenerte en mi vida y qué felicidad poder compartir este viaje contigo. Beth, gracias por crear *DVPIT*, por ayudarme a cambiar mi vida y por ser una de las amigas más fuertes y divertidas que he tenido. *#BODforever #KatSubtweet*

A Patrice Caldwell: *La Patrulla Fantasma* no hubiera sido posible sin ti. Gracias por creer en mí cuando nadie quería publicarme. Nunca olvidaré tu apoyo y tu aliento.

A Leigh Bardugo, por tu valiosísimo asesoramiento y por tu paciencia con mis fastidiosos *emails*. Solo con existir, me enseñaste cómo se puede ser famosa y humilde al mismo tiempo.

A Peter Lopez por ser mi *stan* número uno, mi *reality show shishter*, mi apoyo y mi amigo de incesantes mensajes de texto. Gracias por leer *La Patrulla Fantasma*, por leer TODOS mis libros y por ayudarme sin vacilar cada vez. ¡Te quiero mucho, y PUNTO! Estoy ansiosa por ver tus libros en las librerías muy pronto.

A la comunidad *podcast* de *Write or Die*: Gracias por respaldarme siempre. Estoy muy agradecida a todos nuestros oyentes.

A los muchos, muchos amigos, autores, lectores y maestros que me apoyaron en este viaje hasta ser publicada: Chris y Julie Bujarski, Stephanie Ford, Jackie Senno, Jessica y Chris Sevigny, Julie C. Dao, el Writing Cult, Connie y Lucas, Josie, Katie Bailey, Ozma, Pete Forester, Ryan La Sala, Eric Smith, Zoraida C., Suzanne Samin, Samira Ahmed, Tiffany Jackson, Isabel Sterling, Sierra Elmore, Laura Sebastian, Adam Silvera, Cristina Arreola y hasta la última persona me ayudó *online* y en cualquier parte.

A todos los que no mencioné: lo siento, pero quiero

que sepan por favor que están en mi corazón y que estoy muy soñolienta todo el tiempo.

Por último, pero no menos importante, gracias al queso. No habría sobrevivido la escritura de este ni de ningún otro libro sin ti.

SOBRE LA AUTORA

Foto de Claribel A. Ortega

Claribel A. Ortega es una exreportera que escribe literatura fantástica para jóvenes inspirada en su herencia dominicana. Cuando no está ocupada transformando su obsesión por la cultura pop de los ochenta, los videojuegos y la magia en los libros, anda viajando por el mundo por su trabajo de márquetin y haciendo GIFs para su pequeña compañía de diseño, GIFGRRL. Puedes encontrarla en Twitter como @Claribel_Ortega y en su sitio web claribelortega.com.